Moderne Salate

h.f.ullmann

BLATT-SALATE

Früher betrachtete man Blattsalate gar als Unkraut. Inzwischen werden jedoch weltweit mehr als 1000 Sorten Salatpflanzen angebaut. Jede besitzt ihren eigenen Geschmack und ihre besondere Beschaffenheit.

Am frischesten sind Salate mit glänzenden, festen und knackigen Blättern ohne braune oder welke Stellen. Hat man sich für eine bestimmte Salatzubereitung entschieden, sollte man die dazu passende Salatsorte auswählen: Dünne, zarte und feinblättrige Salatblätter beispielsweise werden von einer schweren, cremigen Salatsauce leicht zerdrückt, während dickere, fleischigere Blätter eine schwere Sauce durchaus vertragen.

Salatköpfe und -blätter reinigt man am besten in kaltem Wasser. Dazu füllt man eine große Schüssel mit kaltem Wasser und wäscht die Blätter darin. Sand und andere Rückstände sinken dabei zu Boden. Anschließend hebt man die Blätter heraus, lässt sie entweder gut abtropfen und tupft sie mit einem Küchentuch ab oder schleudert sie in einer Salatschleuder trocken. Je trockener die Blätter, desto besser nehmen sie anschließend die Salatsauce auf.

Salate bewahrt man am besten in einer Plastiktüte verpackt im Gemüsefach des Kühlschranks auf. Beginnen die Blätter weich und welk zu werden, wäscht man sie in kaltem Wasser, trocknet sie gut ab und bewahrt sie weiter in einem feuchten Tuch eingeschlagen, in einer Plastiktüte oder einem luftdichten Behälter im Gemüsefach des Kühlschranks auf.

Große Blätter werden vor dem Gebrauch in die gewünschte Größe zerpflückt. Schneidet man sie, werden die Schnittflächen schnell braun.

Junger Spinat

Chicorée

SORTEN

JUNGE SPINATBLÄTTER, auch als Gärtnerspinat bekannt, werden meist als lose Blätter angeboten. Häufig muss man sie mehrfach waschen, da sie meist sehr viel Sand und Erde enthalten. Ihr Geschmack ist süß und leicht erdig.

CHICORÉE, auch als Bleichzichorie bekannt, besitzt weiße, an den Rändern hellgelbe Blätter, die einen länglich-ovalen Blattkörper bilden. Sie werden im Dunkeln gezogen und schmecken leicht bitter.

KOPFSALAT besitzt einen kleinen, bis großen, lose geformten Kopf, dessen weiche und zarte Blätter nach Butter schmecken. Einige Sorten haben feste, knackige Herzblätter und dunklere, geschmacklich intensivere Außenblätter. Andere wiederum haben große, lange und blassgrüne, bis rote Blätter. Kopfsalat ist

Eisbergsalat

Mesclun

Radicchio

Kopfsalat

Römischer Salat

Frisée

leicht verderblich und muss schnell verbraucht werden.

RÖMISCHER SALAT hat einen länglichen Kopf und feste, grüne, knackige Blätter, die außen faserig und steif und innen zart und hell sind. Sie sind saftig und schmecken süßlich. Für Caesar-Salat nimmt man traditionell diesen Salat. Inzwischen sind auch nur die Salatherzen erhältlich.

FRISÉE, auch als krause Endivie bekannt, bildet einen rosettenförmigen Kopf mit krausen, grünen, bis hellgelben, länglichen und gezackten Blättern. Sein Geschmack ist angenehm bitter und erinnert an Nüsse. Frisée schmeckt gut mit Salatsaucen, die Sahne, Crème fraîche und Senf enthalten.

EISBERGSALAT, auch Eis- oder Krachsalat genannt, besitzt einen festen, runden Kopf mit knackigen, saftigen und hellgrünen Blättern. Er schmeckt relativ neutral und die großen Blätter sind wie geschaffen als essbare Schalen für Salate.

MESCLUN ist eine Mischung junger Triebe verschiedener Salatpflanzen und stammt ursprünglich aus Südfrankreich. Je nach Angebot ist er als fertige Salatmischung erhältlich und besteht aus Blättern von Radicchio, Rucola, Löwenzahn, Feldsalat, Kerbel, Portulak, Eichblattsalat, Chicorée oder Frisée.

RADICCHIO stammt ursprünglich aus der italienischen Provinz Venetien. Er verleiht Salaten eine farblich interessante und knackige Note. Meist mischt man ihn mit anderen Blattsalaten, da er leicht bitter schmeckt.

RUCOLA, auch als Rauke bekannt, besitzt pfeffrige, angenehm bitter schmeckende Blätter, die an Löwenzahn erinnern. Je größer und älter die Blätter, desto intensiver ist ihr Geschmack. Häufig mischt man ihn unter andere Blattsalate. Leicht welke Blätter werden – legt man sie für ein paar Minuten in eiskaltes Wasser – wieder knackig und fest.

SPROSSEN sind die keimenden Bohnen und Samen verschiedener Pflanzen, wie Zuckerschoten, Mungobohnen, Alfalfa, Kresse und Radieschen. Sie sind sehr vitaminreich und verleihen Salaten eine leicht pfeffrige, knackige und aromatische Note.

BRUNNENKRESSE besitzt kleine delikate, senfartig schmeckende Blätter und feste Stiele. Vor dem Gebrauch werden die festeren Stiele entfernt. Brunnenkresse wird allein oder unter andere Blattsalate gemischt zubereitet.

Rucola

Sprossen

Brunnenkresse

SALATE

Angefangen von knackigen, bunten, mit köstlichen Saucen angemachten, feinen Blattsalaten über exotische, pikante oder kalorienarme Salate bis hin zu modern gestylten Salatkreationen bietet dieses Büchlein so ziemlich alles. Ob man nun nach einem schnell zubereiteten kleinen Gaumenkitzler oder nach einer herzhaften, sättigenden Mahlzeit sucht, das richtige Rezept hierfür findet der Leser auf den folgenden Seiten.

Blattsalate mit Avocado, Speck und Tomaten

Vorbereitungszeit: 20 Min.
Garzeit: 35 Min.
Für 4 Personen

- 6 Knoblauchzehen, ungeschält (siehe Hinweis)
- 80 ml Olivenöl
- 1 1/2 EL Balsamessig
- 2 TL Dijonsenf
- Salz u. schwarzer Pfeffer aus der Mühle
- 250 g geräucherter, durchwachsener Speck ohne Schwarte
- 100 g Blattsalate
- 1 kleine rote Zwiebel, geschält, längs halbiert und in Scheiben geschnitten
- 2 Avocados, in 1,5 cm große Stücke geschnitten
- 450 g feste, reife Tomaten, in 1,5 cm große Würfel geschnitten

1 Ofen auf 180 °C (Gas: Stufe 3–4) vorheizen. Knoblauch auf ein Blech geben und 30 Min. rösten. Abkühlen lassen, dann das Fruchtfleisch heraus drücken und in einer kleinen Schüssel fein zerdrücken. Olivenöl, Balsamessig und Dijonsenf hinzufügen und gründlich verrühren. Mit Salz und schwarzem Pfeffer aus der Mühle abschmecken.

2 Speck in mundgerechte Stücke schneiden und in 3–5 Min. knusprig grillen oder fettfrei braten. Salatblätter in eine Servierschüssel geben und Speck, geschnittene Zwiebeln, Avocado und Tomate zugeben. Die Salatsauce nochmals gründlich verrühren und den Salat damit behutsam anmachen.

Nährwert pro Portion:
Fett 43 g; Eiweiß 15 g; Kohlenhydrate 4 g; Ballaststoffe 4 g; Cholesterin 35,5 mg; 1905 kJ (455 cal)

Hinweis: Zwar sind 6 Knoblauchzehen nicht gerade wenig, doch wird der Knoblauch durch das Rösten mild und süßlich und verleiht dem Salat eine angenehm würzige Note.

Blattsalate mit Avocado, Speck und Tomaten

Griechischer Salat

Vorbereitungszeit: 20 Min.
Garzeit: Keine
Für 4 Personen

4 Tomaten, in Spalten
1 Salatgurke, halbiert, entkernt, in kleine Würfel geschnitten
2 grüne Paprikas, halbiert, entkernt und in Streifen geschnitten
1 rote Zwiebel, geschält, halbiert u. in dünne Scheiben geschnitten
16 Kalamata-Oliven
250 g fester Feta, in Würfel geschnitten
3 EL frische glatte Petersilie
12 ganze, frische Minzeblätter
125 ml Olivenöl
2 EL Zitronensaft
1 Knoblauchzehe, zerdrückt
Salz u. Pfeffer aus der Mühle

1 Tomatenspalten, Gurke, Paprikastreifen, Zwiebeln, Oliven, Feta und die Hälfte der Petersilie und der Minzeblätter in einer großen Servierschüssel behutsam mischen.

2 Öl, Zitronensaft, Knoblauch, Salz und Pfeffer in ein Schraubglas geben und gut schütteln. Die Sauce über die Zutaten gießen und den Salat damit anmachen. Mit der übrigen Petersilie und Minze garnieren.

Nährwert pro Portion:
Fett 42,5 g; Eiweiß 15 g; Kohlenhydrate 10 g; Ballaststoffe 4 g; Cholesterin 43 mg; 2000 kJ (480 cal)

Griechischer Salat (oben) und Brunnenkressesalat mit indisch mariniertem Hühnerfleisch

Brunnenkressesalat mit indisch mariniertem Hühnerfleisch

Vorbereitungszeit: 20 Min. + 1 Std. Marinieren
Garzeit: 20 Min.
Für 4 Personen

60 ml Zitronensaft
1 1/2 TL Garam Masala
1 TL gemahlene Kurkuma
1 EL fein geriebener, frischer Ingwer
2 Knoblauchzehen, fein gehackt
3 1/2 EL Pflanzenöl
3 Hühnerbrustfilets (650 g)
1 Zwiebel, in dünne Scheiben geschnitten
2 Zucchini, diagonal in dünne Scheiben geschnitten
100 g Brunnenkresseblätter
150 g frische, gepalte Erbsen
2 reife Tomaten, fein gehackt
30 g frische Korianderblätter

Dressing

1 TL Kreuzkümmelsamen
1/2 TL Koriandersamen
90 g Joghurt
2 EL gehackte, frische Minze
2 EL Zitronensaft

1 Zitronensaft, Garam Masala, Kurkuma, Ingwer, Knoblauch und 2 TL Öl in einer großen Schüssel mischen. Die Hühnerfilets und Zwiebeln hineingeben und mit der Marinade anmachen. Zugedeckt für 1 Std. in den Kühlschrank stellen.

2 Zwiebeln entfernen, dann 2 EL Öl in einer großen Pfanne mit schwerem Boden erhitzen. Das Fleisch von jeder Seite etwa 4–5 Min. braten, bis es durch ist. Die Hähnchenbrustfilets aus der Pfanne nehmen und auf einem Teller 5 Min. ruhen lassen. Das Fleisch gegen die Faser in 1 cm große Stücke schneiden.

3 Übriges Öl in der Pfanne erhitzen und die Zucchinischeiben darin in etwa 2 Min. goldgelb und durch braten. Mit der Brunnenkresse in einer großen Schüssel mischen. Erbsen 3 Min. in kochendem und gesalzenem Wasser kochen, bis sie gar sind. Herausnehmen und unter fließend kaltem Wasser abschrecken. Abtropfen lassen und mit den Tomatenwürfeln, Hähnchenfleisch und Koriander zu dem Salat geben.

4 Für das Dressing Kumin- und Koriandersamen 1–2 Min. in einer Pfanne fettfrei rösten, bis die Gewürze zu duften beginnen. In einen Mörser umfüllen und fein zerstoßen. Mit dem Joghurt, Minze und Zitronensaft vermischen und den Salat behutsam mit der Sauce anmachen.

Nährwert pro Portion:
Fett 19 g; Eiweiß 43 g; Kohlenhydrate 11 g; Ballaststoffe 6 g; Cholesterin 84 mg; 1630 kJ (390 cal)

Friséesalat mit gebackenen Tomaten und Bocconcini

Vorbereitungszeit: 15 Min.
Garzeit: 2 Std.
Für 6 Personen

8 Eiertomaten, halbiert
1 Prise Zucker
125 ml Olivenöl
15 g zerpflückte Basilikumblätter
2 EL Balsamessig
350 g Bocconcini (kleine Mozzarellakugeln)
160 g Friséesalat
Salz und schwarzer Pfeffer, nach Geschmack

1 Ofen auf 150 °C (Gas: Stufe 1–2) vorheizen. Tomaten mit der Schnittseite nach unten auf ein Gitter über einem mit Backpapier ausgelegten Backblech legen und mit Salz, grob zerstoßenem schwarzem Pfeffer und 1 Prise Zucker würzen. 2 Std. backen, aus dem Ofen nehmen und abkühlen lassen.
2 Öl und Basilikum in einem Topf vermischen und bei mittlerer Hitze 3–5 Min. rühren, bis das Öl sehr heiß wird. Vom Herd nehmen und das Basilikum entfernen. 2 EL von dem Öl mit dem Essig verrühren.
3 Tomaten, Bocconcini und Salat miteinander vermischen und in einer flachen Schüssel anrichten. Mit der Sauce anmachen, mit Meersalz und zerstoßenem schwarzen Pfeffer anmachen und servieren.

Nährwert pro Portion:
Fett 15 g; Eiweiß 11 g; Kohlenhydrate 2 g; Ballaststoffe 1,5 g; Cholesterin 20,5 mg; 790 kJ (190 cal)

Hinweis: Sind kleine Mozzarellakugeln (Bocconcini) nicht erhältlich, kann man auch geviertelten Kuhmilch- oder Büffelmozzarella nehmen.

Weisse-Bohnen-Salat mit Thunfisch

Vorbereitungszeit: 20 Min. + 8 Std. Einweichen
Garzeit: 30 Min.
Für 4–6 Personen

200 g getrocknete Cannellini-Bohnen (siehe Hinweis)
2 frische Lorbeerblätter, grob zerpflückt
1 große Knoblauchzehe, zerdrückt
350 g grüne Bohnen, geputzt
2 kleine Fenchelknollen, in dünne Scheiben geschnitten
1/2 rote Zwiebel, in sehr dünne Scheiben geschnitten
30 g frische Petersilie, grob gehackt
1 EL Olivenöl
2 frische Thunfischsteaks (je 200 g)
80 ml Zitronensaft
1 Knoblauchzehe, sehr fein gehackt
1 roter Chili, entkernt u. fein gehackt
1 TL Zucker
1 EL abgeriebene Zitronenschale
125 ml natives Olivenöl extra

1 Bohnenkerne mit reichlich Wasser bedecken, mindestens 8 Std. einweichen.
2 Bohnenkerne gut abspülen und in einen Topf umfüllen. Mit kaltem Wasser bedecken und Lorbeerblätter und Knoblauch hinzufügen. Zum Kochen bringen und bei niedriger Hitze in 20–25 Min. weich kochen. Abgießen.
3 Grüne Bohnen in kochendem und gesalzenem Wasser in 1–2 Min. gar kochen und unter fließend kaltem Wasser abschrecken. Mit Fenchel, Zwiebeln und Petersilie in einer großen Schüssel mischen.
4 Öl in einer großen Pfanne mit schwerem Boden erhitzen und die Thunfischsteaks bei großer Hitze von jeder Seite 2 Min. braten, bis sie im Kern noch rosa sind. Herausnehmen und 2–3 Min. ruhen lassen. In 3 cm große Stücke schneiden. Unter die übrigen Salatzutaten mischen.
5 Zitronensaft, Knoblauch, Chili, Zucker und Zitronenschale vermischen. Olivenöl unterrühren und mit Salz und Pfeffer würzen. Den Salat mit der Sauce anmachen.

Nährwert pro Portion (6):
Fett 26 g; Eiweiß 26 g; Kohlenhydrate 16 g; Ballaststoffe 8,5 g; Cholesterin 24 mg; 1665 kJ (400 cal)

Hinweis: Statt der Cannellini-Bohnenkerne kann man auch weiße Bohnen aus der Dose nehmen.

Friséesalat mit gebackenen Tomaten und Bocconcini (oben) und Weiße-Bohnen-Salat mit Thunfisch

Toskanischer Brotsalat

Vorbereitungszeit: 15 Min.
Garzeit: 7 Min.
Für 6 Personen

200 g Ciabatta-Brot
8 am Stiel gereifte Tomaten
80 ml Olivenöl
1 EL Zitronensaft
1 1/2 EL Rotweinessig
6 Anchovisfilets, fein gehackt
1 EL kleine Kapern, fein gehackt
1 Knoblauchzehe, zerdrückt
Salz u. Pfeffer aus der Mühle
30 g Basilikumblätter

1 Ofen auf 220 °C (Gas: Stufe 4–5) vorheizen. Brot in 2 cm große Stücke schneiden, auf einem Backblech verteilen und in 6–7 Min. goldgelb backen. Das Brot auf einem Kuchengitter vollständig auskühlen lassen.

2 Den Strunk aus den Tomaten herausschneiden. Tomaten auf der gegenüber liegenden Seite kreuzweise einschneiden und in eine hitzefeste Schüssel geben. Mit kochendem Wasser bedecken und nach 30 Sek. in einer Schüssel mit eiskaltem Wasser abschrecken. Tomaten von den Einschnitten weg abschälen. 4 Tomaten halbieren und Saft und Kerne über einer Schüssel ausdrücken. Das Fruchtfleisch hacken. Öl, Zitronensaft, Essig, Anchovis, Kapern und Knoblauch zu dem Tomatensaft geben und mit Salz und Pfeffer würzen.

3 Übrige Tomaten entkernen und in Scheiben schneiden. Mit den gehackten Tomaten und einem Großteil des Basilikums in eine große Schüssel geben. Salatsauce und geröstetes Brot zugeben und alle Zutaten vermengen. Mit übrigem Basilikum garnieren und den Salat mit Salz und Pfeffer abschmecken. Den Salat mindestens 15 Min. durchziehen lassen. Zimmerwarm servieren.

Nährwert pro Portion:
Fett 13 g; Eiweiß 6 g; Kohlenhydrate 20 g; Ballaststoffe 4 g; Cholesterin 3 mg; 935 kJ (225 cal)

Toskanischer Brotsalat (oben) und Thailändischer Rindfleischsalat

Thailändischer Rindfleischsalat

Vorbereitungszeit: 25 Min. + 3 Std. Marinieren
Garzeit: 20 Min.
Für 4 Personen

600 g Rinderfilet von Fett u. Sehnen befreit
125 ml Fischsauce
1 EL Erdnussöl
1 kleiner, getrockneter Chili, grob gehackt
4 rote asiatische Schalotten, in dünne Scheiben geschnitten
2 Frühlingszwiebeln, diagonal in dünne Scheiben geschnitten
4 EL frische Minze
4 EL frische Korianderblätter
1 Knoblauchzehe, zerdrückt
100 ml Limettensaft
2 TL Palmzucker, gerieben
2 am Stiel gereifte Tomaten, jede in 8 Spalten geschnitten
100 g Kopfsalat, geputzt und gewaschen

1 Rindfleisch mit 2 EL Fischsauce in eine Schüssel geben. Zugedeckt für 3 Std. in den Kühlschrank stellen, dabei öfters in der Marinade wenden.

2 Ein Backblech in den Ofen schieben. Ofen auf 220 °C (Gas: Stufe 4–5) vorheizen. Öl in einer großen Pfanne mit schwerem Boden stark erhitzen. Das Rinderfilet von allen Seiten kurz scharf anbraten und im Ofen weitere 12–15 Min. braten, bis das Fleisch innen rosa ist. Aus dem Ofen nehmen und 10 Min. ruhen lassen.

3 Inzwischen den Chili in einer kleinen, beschichteten Pfanne bei mittlerer Hitze 1–2 Min. fettfrei rösten. In einen Mörser geben und fein zerstoßen. Den Chili mit Schalotten, Frühlingszwiebeln, Minze, Koriander, Knoblauch, Limettensaft, Palmzucker und der übrigen Fischsauce vermischen, dabei rühren, bis sich der Zucker aufgelöst hat.

4 Rindfleisch in dünne Streifen schneiden und mit der Sauce und den Tomaten in einer große Schüssel anmachen. Kopfsalatblätter auf einer Servierplatte anrichten und den Rindfleischsalat darüber geben.

Nährwert pro Portion:
Fett 11 g; Eiweiß 36 g; Kohlenhydrate 7 g; Ballaststoffe 2,5 g; Cholesterin 100,5 mg; 1155 kJ (275 cal)

Gegrillter Gemüsesalat mit Balsamico-Dressing

Vorbereitungszeit: 15 Min.
Garzeit: 10 Min.
Für 4–6 Personen

4 kleine Auberginen
5 Eiertomaten
2 rote Paprikas
1 grüne Paprika
2 Zucchini
100 ml Olivenöl
12 Bocconcini (kleine Mozzarellakugeln)
45 g eingelegte schwarze Oliven
1 Knoblauchzehe, fein gehackt
3 TL kleine Kapern
1/2 TL Zucker
2 EL Balsamessig (Aceto Balsamico)
Salz u. Pfeffer aus der Mühle

1 Auberginen und Tomaten längs halbieren. Rote und grüne Paprikas der Länge nach halbieren, Samen und Scheidewände entfernen und jede Hälfte in drei Stücke schneiden. Zucchini diagonal in dünne Scheiben schneiden.
2 Eine Grillpfanne erhitzen. 1 EL Öl zugeben und ein Viertel des Gemüses 2–3 Min. scharf anbraten, bis sich ein Grillmuster bildet und es leicht gebräunt ist. Dabei die Tomaten zuerst mit der Schnittfläche nach unten anbraten. Das Gemüse in eine Schüssel geben.
3 Übriges Gemüse auf die gleiche Art zubereiten, nach Bedarf etwas Öl hinzufügen. In die Schüssel geben und mit den Mozzarellakugeln vermischen. Oliven, Knoblauch, Kapern, Zucker, Essig und übriges Öl (etwa 2 EL) verrühren, bis sich der Zucker aufgelöst hat. Den Salat damit anmachen und mit Salz und Pfeffer abschmecken.

Nährwert pro Portion:
Fett 20 g; Eiweiß 8 g; Kohlenhydrate 6 g; Ballaststoffe 2,5 g; Cholesterin 11,5 mg; 970 kJ (230 cal)

Asiatischer Salat mit Schweinehack und Glasnudeln

Vorbereitungszeit: 15 Min.
Garzeit: 15 Min.
Für 4 Personen

1 EL Erdnussöl
500 g Schweinehack
2 Knoblauchzehen, fein gehackt
1 Stängel frisches Zitronengras, die äußeren Schichten entfernt und fein gehackt
2–3 rote asiatische Schalotten, in dünne Scheiben geschnitten
3 TL fein geriebener, frischer Ingwer
1 kleiner roter Chili, fein gehackt
5 frische Kaffir-Limettenblätter, in sehr dünne Streifen geschnitten
170 g Glasnudeln
60 g junger Spinat
50 g grob gehackter, frischer Koriander
170 g geschälte, fein gehackte, frische Ananas
10 g frische Minze
1 1/2 EL Palmzucker, gerieben
2 EL Fischsauce
80 ml Limettensaft
2 TL Sesamöl
2 TL Erdnussöl, extra
schwarzer Pfeffer aus der Mühle

1 Einen Wok stark erhitzen, Erdnussöl hinein gießen und den Wok damit ausschwenken. Hackfleisch zugeben und in 5 Min. gut bräunen. Dabei sich bildende Klumpen mit einem Kochlöffel zerstoßen. Knoblauch, Zitronengras, Schalotten, Ingwer, Chili und Limettenblätter zugeben und weitere 1–2 Min. pfannenrühren, bis die Gewürze duften.
2 Nudeln in eine große Schüssel geben und mit kochendem Wasser bedecken. 30 Sek. einweichen, abgießen und unter fließend kaltem Wasser abschrecken. Gut abtropfen lassen. In einer Schüssel mit dem Spinat, Koriander, Ananas, Minze und Schweinehack mischen.
3 Für das Dressing Palmzucker, Fischsauce und Limettensaft verrühren. Sesamöl und 2 TL Erdnussöl kräftig unterrühren. Den Salat mit der Sauce anmachen und mit schwarzem Pfeffer aus der Mühle würzen.

Nährwert pro Portion:
Fett 18 g; Eiweiß 28 g; Kohlenhydrate 48 g; Ballaststoffe 2,5 g; Cholesterin 75 mg; 1950 kJ (465 cal)

Gegrillter Gemüsesalat mit Balsamico-Dressing (oben) und Asiatischer Salat mit Schweinehack und Glasnudeln

Waldorfsalat mit Putenfleisch

Vorbereitungszeit: 30 Min.
Garzeit: 1 Std. 30 Min.
Für 6 Personen

1 küchenfertiger Putenrollbraten
Salz u. Pfeffer aus der Mühle
2 rote Äpfel
4 Stangen Bleichsellerie
2 EL Limettensaft
30 g Rosinen, gehackt
50 g Pekannüsse, jeder Kern in 3 Stücke geteilt
1 kleine rote Zwiebel, in dünne Scheiben geschnitten
2 EL gehackte, frische Petersilie
1 EL Limettensaft

Dressing
80 ml Sahne
125 g Mayonnaise

1 Ofen auf 180 °C (Gas: Stufe 3–4) vorheizen. Rollbraten salzen und pfeffern und in eine Reine legen. Etwa 1 Std. 30 Min. braten, bis das Fleisch durch ist. Dabei öfters wenden und mit Bratenfett übergießen. Von dem Braten 400 g Fleisch in 3 mm dicke Scheiben und anschließend in dünne Streifen schneiden.
2 Inzwischen die Sahne fast steif schlagen und unter die Mayonnaise heben. Mit Salz und Pfeffer abschmecken.
3 Die ungeschälten Äpfel und Selleriestangen in lange, dünne Streifen schneiden und mit dem Limettensaft in einer großen Schüssel anmachen. Fleischstreifen, gehackte Rosinen, Pekannüsse, Zwiebeln, Petersilie zugeben und gut vermischen. Den Salat mit der Mayonnaise anmachen.

Waldorfsalat mit Putenfleisch (oben) und Fusilli-Salat mit Sherry-Vinaigrette

Nährwert pro Portion:
Fett 21 g; Eiweiß 22 g; Kohlenhydrate 15 g; Ballaststoffe 2,5 g; Cholesterin 68 mg; 1405 kJ (335 cal)

Hinweis: Den übrigen Braten für leckere Putenfleisch-Sandwiches oder andere Salatkreationen verwenden.

Fusilli-Salat mit Sherry-Vinaigrette

Vorbereitungszeit: 15 Min.
Garzeit: 25 Min.
Für 6 Personen

300 g Fusilli
250 g Blumenkohlrösschen
125 ml Olivenöl
16 Scheiben Pancetta
10 g kleine, frische Salbeiblätter
100 g Pinienkerne, geröstet
2 EL fein gehackte, rote asiatische Schalotten
1 1/2 EL Sherryessig
1 kleiner roter Chili, fein gehackt
2 Knoblauchzehen, zerdrückt
1 TL brauner Zucker
2 EL Orangensaft
15 g Petersilie, fein gehackt
35 g Parmesan, gehobelt

1 Fusilli-Nudeln in sprudelnd kochendem und gesalzenem Wasser in 10–12 Min. bissfest kochen. Abgießen und unter fließend kaltem Wasser abschrecken. Gut abtropfen lassen. Blumenkohlrösschen 3 Min. in kochendem und gesalzenem Wasser blanchieren. Herausnehmen und abkühlen lassen.
2 1 EL Olivenöl in einer beschichteten Pfanne erhitzen und den Pancetta darin in 2 Min. knusprig braten. Auf Küchenpapier abtropfen lassen. Einen weiteren Esslöffel Öl in der Pfanne erhitzen und die Salbeiblätter darin in 1 Min. knusprig braten. Auf Küchenpapier abtropfen lassen. Nudeln, Pinienkerne und Blumenkohl in einer großen Schüssel mischen.
3 Übriges Olivenöl in der Pfanne erhitzen und die Schalotten in 2 Min. weich dünsten. Vom Herd nehmen, Essig, Chili, Knoblauch, braunen Zucker, Orangensaft und gehackte Petersilie zugeben. Die Nudeln mit der warmen Vinaigrette anmachen.
4 Den Salat in eine Servierschüssel umfüllen. Pancetta, Salbeiblätter und Parmesan darüber streuen und sofort servieren.

Nährwert pro Portion:
Fett 35,5 g; Eiweiß 16 g; Kohlenhydrate 39 g; Ballaststoffe 4,5 g; Cholesterin 18 mg; 2225 kJ (530 cal)

Grüne Blattsalate mit Zitronenvinaigrette

Vorbereitungszeit: 15 Min.
Garzeit: Keine
Für 6 Personen

150 g junger Römischer Salat
150 g junger Kopfsalat
50 g Brunnenkresse
100 g Rucola
1 EL fein gehackte Schalotten
2 TL Dijonsenf
1/2 TL Zucker
1 EL fein gehacktes, frisches Basilikum
1 TL abgeriebene Zitronenschale
3 EL Zitronensaft
1 EL Weißweinessig
25 ml Zitronenöl
75 ml natives Olivenöl extra
Salz u. Pfeffer aus der Mühle

1 Die äußeren Blätter vom Römischen Salat und dem Kopfsalat entfernen und die übrigen Salatblätter vom Strunk abpflücken. In kaltem Wasser waschen. Gut abtropfen lassen und kalt stellen. Brunnenkresse und Rucola von den festeren Stielen befreien und in kaltem Wasser waschen. Gut abtropfen lassen und mit einem Küchentuch trocken tupfen. Zu den anderen Blattsalaten geben und kalt stellen.

2 Für das Dressing die Schalotten, Senf, Zucker, Basilikum, Zitronenschale und -saft und Essig in einer Schüssel gründlich verrühren. Beide Öle in ein Glas gießen und unter ständigem Schlagen mit einem Schneebesen in einem dünnen Strahl unter den Essig rühren, bis eine glatte, cremige Sauce entsteht. Mit Salz und Pfeffer abschmecken.

3 Die grünen Blattsalate in eine große Servierschüssel geben und behutsam mit der Sauce anmachen, bis alle Salatblätter gleichmäßig damit überzogen sind.

Nährwert pro Portion:
Fett 15 g; Eiweiß 2 g; Kohlenhydrate 2 g; Ballaststoffe 1,5 g; Cholesterin 0 mg; 610 kJ (145 cal)

Lamm mit gerösteten Tomaten

Vorbereitungszeit: 20 Min.
Garzeit: 1 Std. 10 Min.
Für 4–6 Personen

1 EL Rotweinessig
1/2 Salatgurke, fein gewürfelt
100 g griechischer Joghurt
2 TL gehackte, frische Minze
1/2 TL gemahlener Kreuzkümmel
80 ml Olivenöl
Salz u. Pfeffer aus der Mühle
6 am Stiel gereifte Tomaten
4 Knoblauchzehen, fein gehackt
1 EL gehackter, frischer Oregano
1 EL gehackte, frische Petersilie
600 g grüner Spargel
500 g Lammrückenfleisch

1 Essig, Gurke, Joghurt, Minze, Kreuzkümmel, 1 EL Olivenöl, Salz und Pfeffer in in einem Glas verrühren.

2 Ofen auf 180 °C (Gas: Stufe 3–4) vorheizen. Tomaten halbieren und die Kerne herauslöffeln. Knoblauch, Oregano und Petersilie mischen und in die entstandenen Vertiefungen der Tomaten streuen.

3 Die Tomaten salzen und pfeffern und auf ein Gitter über einem Backblech setzen. Mit 1 EL Olivenöl beträufeln und 1 Std. backen. Aus dem Ofen nehmen und jedes Stück erneut halbieren und warm stellen. Spargel großzügig am unteren Drittel abschälen und die unteren Enden abschneiden. In eine Reine legen und mit einem weiteren Esslöffel Olivenöl anmachen. Salzen und pfeffern und 10 Min. backen.

4 Inzwischen übriges Olivenöl in einer Pfanne stark erhitzen. Lammfleisch gut salzen und pfeffern und von beiden Seiten kurz scharf anbraten. Bei mittlerer Hitze etwa 5 Min. weiter braten, bis es im Kern rosa ist. Herausnehmen und ruhen lassen.

5 Spargel aus dem Ofen nehmen und auf einer Servierplatte anrichten. Die Tomaten darüber legen. Das Lammfleisch diagonal in dünne Scheiben schneiden und darauf anrichten. Die Sauce erneut gründlich durchrühren und über den Salat träufeln. Sofort servieren.

Nährwert pro Portion (6):
Fett 26 g; Eiweiß 26 g; Kohlenhydrate 7 g; Ballaststoffe 4 g; Cholesterin 59,5 mg; 1100 kJ (265 cal)

Grüne Blattsalate mit Zitronenvinaigrette (oben) und Lamm mit gerösteten Tomaten

Rucolasalat mit Pilzen und Ziegenkäse

Vorbereitungszeit: 15 Min.
Garzeit: 30 Min.
Für 4–6 Personen

Dressing
2 EL Zitronensaft
3 EL Olivenöl
1 TL abgeriebene Zitronenschale
Salz u. Pfeffer aus der Mühle

8 große Champignons, Stiele entfernt
1 EL gehackter, frischer Thymian
4 Knoblauchzehen, fein gehackt
2 EL Olivenöl
50 g Rucola
100 g Ziegenkäse
2 EL gehackte, frische glatte Petersilie

1 Ofen auf 200 °C (Gas: Stufe 4) vorheizen. Für das Dressing Saft, Öl, Schale, Salz und Pfeffer (nach Geschmack) in einer Schüssel verrühren.
2 Pilze auf ein Backblech legen, mit Thymian und Knoblauch bestreuen und mit Olivenöl beträufeln. Mit Alufolie zudecken und 20 Min. backen. Die Pilze aus dem Ofen nehmen und kurz durchmischen, damit sich die Aromen gleichmäßig verteilen. Zugedeckt weitere 10 Min. im Ofen backen, bis sie gar sind. Aus dem Ofen nehmen und halbieren.
3 Rucola auf einer Servierplatte anrichten, die Pilze und den zerpflückten Ziegenkäse darüber geben. Die Salatsauce nochmals gut verrühren und über den Salat träufeln. Mit Petersilie bestreuen und servieren.

Nährwert pro Portion (6):
Fett 18 g; Eiweiß 4 g; Kohlenhydrate 1 g; Ballaststoffe 1 g; Cholesterin 7 mg; 735 kJ (175 cal))

Rucola-Salat mit Pilzen und Ziegenkäse (oben) und Gegrillte Hühnerbrust mit jungem Spinat und Himbeeren

Gegrillte Hühnerbrust mit jungem Spinat und Himbeeren

Vorbereitungszeit: 10 Min. + 2 Std. Marinieren
Garzeit: 15 Min.
Für 4 Personen

60 ml Himbeeressig
2 EL Limettensaft
2 Knoblauchzehen, zerdrückt
2 EL gehackter, frischer Oregano
1 TL brauner Zucker
2 kleine, frische rote Chilis, fein gehackt
125 ml natives Olivenöl extra
4 Hühnerbrüste
Salz u. Pfeffer aus der Mühle
1 TL Dijonsenf
200 g junge Spinatblätter
250 g frische Himbeeren

1 2 EL Himbeeressig, Limettensaft, Knoblauch, 1 EL Oregano, Zucker, Chili und 60 ml Olivenöl in einer großen Schüssel verrühren. Die Hühnerbrüste zugeben und gleichmäßig mit der Marinade überziehen. Zugedeckt für 2 Std. in den Kühlschrank stellen.
2 Ofen auf 180 °C (Gas: Stufe 3–4) vorheizen. Eine Grillpfanne erhitzen und die Hühnerbrüste von jeder Seite 3 Min. anbraten, anschließend in eine flache Auflaufform legen und im Ofen weitere 5 Min. braten, bis sie durch sind. Herausnehmen und 5 Min. ruhen lassen. Jede Hühnerbrust diagonal in 5 gleich große Streifen schneiden.
3 Für das Dressing das übrige Öl, Essig, Oregano und Senf miteinander verrühren. Mit 1/4 TL Salz und schwarzem Pfeffer aus der Mühle abschmecken. Rucola und Himbeeren auf 4 Tellern anrichten und die Hälfte des Dressings darüber träufeln. Die Hühnerbruststreifen auf den Salat legen und die übrige Sauce darüber löffeln.

Nährwert pro Portion:
Fett 33,5 g; Eiweiß 48 g; Kohlenhydrate 6 g; Ballaststoffe 5,5 g; Cholesterin 100 mg; 2170 kJ (520 cal)

Tabbouleh

Vorbereitungszeit: 15 Min. + 20 Min. Einweichen
Garzeit: Keine
Für 6–8 Personen

175 g Bulgur (siehe Hinweis)
200 g frische glatte Petersilie oder 100 g Rukola und 100 g Petersilie
80 g frische Minze
6 Frühlingszwiebeln, in dünne Scheiben geschnitten
2 Tomaten, fein gehackt
2 große Knoblauchzehen, fein gehackt
80 ml Zitronensaft
125 ml natives Olivenöl extra
Salz u. Pfeffer aus der Mühle

1 Bulgur in eine große Schüssel geben und mit reichlich heißem Wasser bedecken. 15–20 Min. einweichen, bis er weich ist. Gut abtropfen lassen.
2 Petersilie und Minze fein hacken und mit dem Bulgur, Frühlingszwiebeln und Tomaten anmachen.
3 Knoblauch und Zitronensaft in einem Glas verrühren. Öl in einem dünnen Strahl mit einem Schneebesen unterrühren und die Sauce mit Salz und Pfeffer abschmecken. Vor dem Servieren den Salat mit der Sauce anmachen.

Nährwert pro Portion (8):
Fett 15 g; Eiweiß 4 g; Kohlenhydrate 15 g; Ballaststoffe 6,5 g; Cholesterin 0 mg; 875 kJ (210 cal)

Hinweis: Bulgur ist auch unter der Bezeichnung Bulgurweizen bekannt.
Variante: Im 2. Arbeitsschritt 40 g Pinienkerne hinzufügen.

Birnen-Walnuss-Salat mit Blauschimmelkäse-Dressing

Vorbereitungszeit: 20 Min.
Garzeit: 3 Min.
Für 4 Personen

Dressing
100 g cremiger Blauschimmelkäse
60 ml Olivenöl
1 EL Walnussöl
1 EL Zitronensaft
1 EL Sahne
2 TL fein gehackter, frischer Salbei
Salz u. Pfeffer aus der Mühle

100 g Walnusskerne
4 feste, reife, kleine Birnen
2 EL Zitronensaft
2 Chicoréeköpfe, geputzt und in einzelne Blätter zerpflückt
100 g Parmesan, gehobelt

1 Für das Dressing den Blauschimmelkäse in einer kleinen Küchenmaschine pürieren, dann das Olivenöl und Walnussöl und Zitronensaft dazugießen und glatt mixen. Bei laufendem Gerät 2 TL warmes Wasser hinzufügen, Sahne und Salbei zugeben und das Dressing mit Salz und Pfeffer abschmecken.
2 Den Grill des Ofens vorheizen. Walnusskerne in eine Schüssel geben und mit kochendem Wasser bedecken. 1 Min. einweichen und gut abtropfen lassen. Auf ein Backblech geben und 3 Min. unter dem heißen Grill rösten. Grob hacken.
3 Birnen mit einem Sparschäler in dünne kreisrunde Späne abschälen. Dabei die Birnen zuvor nicht schälen, aber die Kerne entfernen. Sobald alle Birnen gleichsam abgeschält sind, die Birnenspänen mit Zitronensaft marinieren, damit sie nicht braun werden. Auf jeden Servierteller 3 Birnenspänen kreisförmig anrichten, ein paar Walnüsse, Chicoréeblätter, wieder ein paar Walnüsse und schließlich etwas gehobelten Parmesan darüber streuen. Diesen Arbeitsschritt mehrfach wiederholen, bis die Zutaten, bis auf ein paar Parmesanhobel und Walnüsse aufgebraucht sind. Etwas Dressing über jeden Salat träufeln, mit den übrigen Walnüssen und zuletzt dem restlichen Parmesan bestreuen. Als Vorspeise oder Beilagensalat zu einfachen Fleischgerichten servieren.

Nährwert pro Portion:
Fett 53,5 g; Eiweiß 21 g; Kohlenhydrate 19 g; Ballaststoffe 7 g; Cholesterin 55,5 mg; 2645 kJ (630 cal))

Tabbouleh (oben) und Birnen-Walnuss-Salat mit Blauschimmelkäse-Dressing

Lamm-Paprika-Gurkensalat

Vorbereitungszeit: 15 Min.
Garzeit: 10 Min.
Für 4 Personen

1 rote Zwiebel, in dünne Scheiben geschnitten
1 rote Paprika, in sehr dünne Streifen geschnitten
1 grüne Paprika, in sehr dünne Streifen geschnitten
2 große Salatgurken, entkernt und in Stäbchen geschnitten
20 g fein geschnittene, frische Minze
3 EL gehackter, frischer Dill
60 ml Olivenöl
600 g Lammrückenfleisch
80 ml Zitronensaft
2 kleine Knoblauchzehen, zerdrückt
100 ml natives Olivenöl extra
Salz und Pfeffer aus der Mühle

1 Zwiebeln, rote und grüne Paprika, Gurke, Minze und Dill in einer großen Schüssel mischen.
2 Eine Grillpfanne oder Pfanne mit schwerem Boden stark erhitzen. Etwas Öl hineingeben und das Lammfleisch darin von jeder Seite 2–3 Min. anbraten und bei mittlerer Hitze etwa 5 Min. weiter braten, bis es je nach gewünschtem Gargrad rosa, bis durch ist. Aus der Pfanne nehmen und 5 Min. ruhen lassen. In dünne Streifen schneiden und zu den Salatzutaten geben und untermengen. Zitronensaft und Knoblauch in einem Glas verrühren, dann das Olivenöl mit einem Schneebesen in einem dünnen Strahl hinein laufen lassen, bis eine glatte, cremige Sauce entsteht. Mit Salz und Pfeffer abschmecken und über den Salat träufeln.

Lamm-Paprika-Gurkensalat (oben) und Risoni-Brokkoli-Salat mit frischem Kräuterdressing

Nährwert pro Portion:
Fett 40,5 g; Eiweiß 35 g; Kohlenhydrate 5 g; Ballaststoffe 2 g; Cholesterin 99 mg; 2175 kJ (520 cal)

Hinweis: Dieser Salat schmeckt köstlich auf frischem oder geröstetem, türkischen Fladenbrot, zu dem Hummus gereicht wird.

Risoni-Brokkoli-Salat mit frischem Kräuterdressing

Vorbereitungszeit: 10 Min.
Garzeit: 45 Min.
Für 6 Personen

8 Knoblauchzehen, ungeschält
2 EL natives Olivenöl extra
125 g Mayonnaise
100 g Crème fraîche
80 g gekauftes oder selbstgemachtes Pesto (siehe Hinweis S. 43)
2 EL Zitronensaft
Salz u. weißer Pfeffer aus der Mühle
250 g Brokkoliröschen
400 g Risoni (reisförmige Pasta)
100 g geröstete gestiftelte Mandeln
1 EL fein gehackte frische Petersilie
1 EL fein geschnittener Schnittlauch
gehobelter Parmesan, als Garnitur

1 Ofen auf 180 °C (Gas: Stufe 3–4) vorheizen. Knoblauch mit dem Olivenöl anmachen und in 45 Min. weich und goldgelb backen.
2 Zwei der Knoblauchzehen ausdrücken und das Fruchtfleisch in eine Küchenmaschine geben. Mayonnaise, Crème fraîche, Pesto und Zitronensaft zugeben und fein pürieren. In eine Schüssel umfüllen, mit Salz und weißem Pfeffer abschmecken und beiseite stellen.
3 Inzwischen die Brokkoliröschen ein paar Minuten dämpfen, unter kaltem Wasser abschrecken und gut abtropfen lassen. Risoni-Nudeln in kochendem und gesalzenem Wasser in 8–10 Min. *al dente* kochen. Abgießen und gut abtropfen lassen.
4 Mandeln, Kräuterdressing, Petersilie und Schnittlauch zu den noch warmen Risoni geben und mit dem Brokkoli in einer großen Schüssel mischen. Den Salat auf Portionsschalen verteilen und mit Parmesan und je einer gerösteten Knoblauchzehe garnieren.

Nährwert pro Portion:
Fett 35,5 g; Eiweiß 16 g; Kohlenhydrate 53 g; Ballaststoffe 7,5 g; Cholesterin 24,5 mg; 2490 kJ (595 cal)

Variante: Den Salat mit geschälten und gekochten Riesengarnelen garnieren.

Couscous-Salat

Vorbereitungszeit: 20 Min + Quellen
Garzeit: 30 Min.
Für 4 Personen

1 rote Paprika
75 g geschälte Pistazien
350 g geschälter Hokkaido-Kürbis
2 Zucchini
2 1/2 EL Olivenöl
370 g Instant-Couscous
300 g Kichererbsen aus der Dose, abgespült und abgetropft
2 Frühlingszwiebeln, in dünne Scheiben geschnitten
50 g Minze, fein geschnitten

Dressing
2 TL Kreuzkümmelsamen
2 Knoblauchzehen, fein gehackt
1 kleiner, frischer roter Chili, entkernt und fein gehackt
250 ml Hühnerbrühe
3 frische Lorbeerblätter
80 ml Zitronensaft
125 ml natives Olivenöl extra
Salz und schwarzer Pfeffer aus der Mühle

1 Den Grill des Ofens vorheizen. Rote Paprika halbieren, Samen und Scheidewände entfernen und das Fruchtfleisch in größere, längliche Stücke schneiden. Mit der Hautseite nach oben auf ein kleines Backblech legen und 8–10 Min. unter dem heißen Grill garen, bis die Haut dunkel wird und Blasen wirft. Paprikastücke herausnehmen (den Grill nicht ausschalten) und in einen Gefrierbeutel geben. Verschließen und auskühlen lassen. Dann die Haut von den Stücken abziehen und jedes Paprikastück in 1 cm breite Streifen schneiden.
2 Den Ofen auf 180 °C (Gas: Stufe 3–4) vorheizen. Pistazien auf ein Blech geben und 5-10 Min. rösten, bis sie leicht Farbe angenommen haben. Dabei öfters nachsehen, da sie schnell verbrennen. Kürbis und Zucchini in dünne Scheiben schneiden und mit 1 1/2 EL Olivenöl anmachen. Unter dem heißen Grill von jeder Seite 4–5 Min. garen, bis das Gemüse leicht Farbe angenommen hat.
3 Couscous in eine Schüssel geben und mit 500 ml kochendem Wasser bedecken. Das übrige Öl hinzufügen und behutsam untermischen. Die Schüssel mit Klarsichtfolie zudecken und den Couscous 5 Min. stehen lassen. Mit einer Gabel den Couscous auflockern und evt. entstandene Klumpen zerdrücken. Pistazien, Kichererbsen, Paprikastreifen, Kürbis, Zucchini, Frühlingszwiebeln und Minze zugeben und gut untermischen.
4 Für das Dressing die Kreuzkümmelsamen in einer Pfanne mit schwerem Boden 1–2 Min. fettfrei rösten, bis sie zu duften beginnen. In einen Mörser umfüllen und fein zerstoßen. Mit Knoblauch, Chili und Zitronensaft in einer Schüssel vermischen. Hühnerbrühe in einen Topf gießen und zum Kochen bringen. Lorbeerblätter grob zerpflücken und zugeben. Die Brühe etwa 6 Min. sprudelnd kochen, bis sie auf ein Drittel eingekocht ist. Durch ein Sieb in einen Behälter abgießen und die Lorbeerblätter entfernen. Ein wenig abkühlen lassen. Die Brühe in die Schüssel mit dem Zitronensaft gießen. Das Öl mit einem Schneebesen unterrühren. Mit Salz und schwarzem Pfeffer aus der Mühle abschmecken. Den Couscous-Salat mit dem Dressing anmachen.

Nährwert pro Portion:
Fett 51 g; Eiweiß 25 g; Kohlenhydrate 94 g; Ballaststoffe 9,5 g; Cholesterin 0 mg; 3895 kJ (930 cal)

Hinweis: Couscous wird aus Weizenschrot hergestellt und vor allem in nordafrikanischen Ländern und im Nahen Osten zubereitet. Dieser Couscous-Salat ist eine ausgezeichnete Beilage zu gegrilltem Fleisch, insbesondere Lamm oder Geflügel. Man kann ihn auch als vegetarische Mahlzeit reichen, wenn man die Hühnerbrühe durch Gemüsebrühe ersetzt.

Couscous-Salat

Caesar-Salat

Vorbereitungszeit: 20 Min.
Garzeit: 15 Min.
Für 4–6 Personen

3 Eier
3 Knoblauchzehen, zerdrückt
2–3 Anchovisfilets
1 TL Worcestershire-Sauce
2 EL Limettensaft
1 TL Dijonsenf
185 ml Olivenöl
Salz u. schwarzer Pfeffer aus der Mühle
3 Scheiben Weißbrot
20 g Butter
1 EL Öl, extra
3 Scheiben durchwachsener Speck
1 großer Kopfsalat oder 3 kleine Kopfsalatherzen
75 g Parmesan, gehobelt

1 Eier, Knoblauch, Anchovis, Worcestershire-Sauce, Limettensaft und Senf in einer Küchenmaschine glatt pürieren. Öl bei laufendem Gerät in einen dünnen Strahl hinein laufen lassen, bis eine glatte, cremige Sauce entsteht. Mit Salz und frisch gemahlenem schwarzen Pfeffer abschmecken.
2 Die Rinde von den Brotscheiben wegschneiden. Brot in 1,5 cm große Würfel schneiden. Butter und 1 EL Öl in einer Pfanne erhitzen und die Brotwürfel darin bei mittlerer Hitze in etwa 5 Min. knusprig und goldbraun backen. Aus der Pfanne nehmen. Speck in der gleichen Pfanne in etwa 1 Min. knusprig braten und in Streifen schneiden.
3 Salatblätter mit dem Dressing anmachen, Croûtons und Speck untermengen und mit gehobeltem Parmesan bestreuen.

Nährwert pro Portion (6):
Fett 41 g; Eiweiß 14 g; Kohlenhydrate 8 g; Ballaststoffe 1,5 g; Cholesterin 124 mg; 1880 kJ (450 cal)

Caesar-Salat (oben) und Brauner Reis und Puy-Linsen mit Pinienkernen und Spinat

Brauner Reis und Puy-Linsen mit Pinienkernen und Spinat

Vorbereitungszeit: 15 Min.
Garzeit: 40 Min.
Für 6–8 Personen

200 g brauner Reis
100 ml natives Olivenöl extra
1 rote Zwiebel, gewürfelt
2 Knoblauchzehen, zerdrückt
1 Möhre, gewürfelt
2 Stangen Bleichsellerie, gewürfelt
185 g Puy-Linsen (siehe Hinweis)
2 Tomaten, entkernt und gewürfelt
3 EL gehackter, frischer Koriander
3 EL gehackte, frische Minze
2 EL Balsamessig
1 EL Zitronensaft
Salz u. Pfeffer aus der Mühle
2 EL geröstete Pinienkerne
90 g junge Spinatblätter, gewaschen

1 Reis in einem Topf mit kochendem und gesalzenem Wasser in 20 Min. gar kochen. Abgießen und unter fließend kaltem Wasser abschrecken.
2 2 EL Öl in einem Topf erhitzen, Zwiebeln, Knoblauch, Möhren und Sellerie zugeben. In 5 Min. weich dünsten, dann die Linsen zusammen mit 400 ml Wasser dazugeben. Zum Kochen bringen und die Linsen bei niedriger Hitze in etwa 15 Min. weich kochen. Abgießen, jedoch nicht abspülen. Mit Reis, Tomaten, Koriander und Minze in einer großen Schüssel vermischen.
3 Übriges Öl mit Balsamessig und Zitronensaft vermischen. Die Sauce mit Salz und Pfeffer abschmecken und das Linsengemüse damit anmachen. Spinatblätter und Pinienkerne behutsam untermischen.

Nährwert pro Portion (8):
Fett 30 g; Eiweiß 18 g; Kohlenhydrate 60 g; Ballaststoffe 11 g; Cholesterin 0 mg; 2405 kJ (575 cal)

Hinweis: Puy-Linsen sind französische grüne Linsen, die in gut sortierten Supermärkten und Feinkostgeschäften erhältlich sind. Andere Linsensorten würden den Geschmack und die Beschaffenheit dieses Gerichtes zu sehr verändern.

Brunnenkressesalat mit Feta und Wassermelone

Vorbereitungszeit: 15 Min.
Garzeit: 2 Min.
Für 4 Personen

2 EL Sonnenblumenkerne
800 g Stück Wassermelone, in 1 cm dicke Würfel geschnitten (etwa 500 g Nettogewicht)
180 g Feta, in 1 cm große Würfel geschnitten
75 g Brunnenkresseblätter
2 EL Olivenöl
1 EL Zitronensaft
2 TL gehackter, frischer Oregano
Salz u. schwarzer Pfeffer aus der Mühle

1 Eine kleine Pfanne stark erhitzen. Sonnenblumenkerne darin in etwa 2 Min. fettfrei goldgelb rösten.
2 Wassermelone, Feta und Brunnenkresseblätter in eine große Schüssel geben und miteinander vermengen. Olivenöl, Zitronensaft und gehackten Oregano in einem Glas verrühren und mit Salz und Pfeffer abschmecken (nicht zu sehr salzen, da der Feta bereits gesalzen ist). Die Salatzutaten mit der Sauce anmachen und gut vermischen. Mit den Sonnenblumenkernen bestreuen und servieren.

Nährwert pro Portion:
Fett 21,5 g; Eiweiß 10 g; Kohlenhydrate 7 g; Ballaststoffe 2 g; Cholesterin 31 mg; 1070 kJ (255 cal)

Rucolasalat mit Artischocken und Parmaschinken

Vorbereitungszeit: 15 Min.
Garzeit: 15 Min.
Für 4 Personen

4 Artischocken (siehe Hinweis)
2 Eier
20 g frische Brotkrumen (siehe Hinweis)
25 g geriebener Parmesan
Olivenöl zum Braten und 1 EL extra
8 Scheiben Parmaschinken
3 TL Weißweinessig
1 Knoblauchzehe, zerdrückt
Salz u. Pfeffer aus der Mühle
150 g Rucola, geputzt und gewaschen
Meersalz, als Beigabe

1 Wasser in einem großen Topf zum Kochen bringen. Die harten, äußeren Blätter von den Artischocken entfernen, die Stiele großzügig abschälen und das obere Drittel wegschneiden. Die Artischocken längs vierteln und das „Heu" wegschneiden. 2 Min. kochen, herausnehmen und abtropfen lassen.
2 Eier in einer großen Schüssel verquirlen und die Brotkrumen mit dem geriebenen Parmesan in einer weiteren Schüssel vermischen. Die Artischockenstücke durch das Ei ziehen und in den Brotkrumen wenden. Eine Pfanne 2 cm hoch mit Olivenöl füllen und erhitzen. Die panierten Artischockenviertel im heißen Fett in 2–3 Min. goldbraun backen. Aus der Pfanne nehmen und auf Küchenpapier abtropfen lassen.
3 1 EL Olivenöl in einer beschichteten Pfanne erhitzen. Parmaschinken portionsweise in zwei Gängen kurz von beiden Seiten knusprig braten. Aus der Pfanne nehmen und das Öl aufbewahren.
4 Das Öl aus der Pfanne, Weißweinessig und Knoblauch vermischen und mit etwas Salz würzen und pfeffern. Rucola in eine Schüssel geben und mit der Hälfte der Salatsauce anmachen. Rucolasalat, Artischocken und Schinken auf 4 Tellern anrichten und das übrige Dressing darüber träufeln. Mit dem gehobelten Parmesan und Meersalz bestreuen.

Nährwert pro Portion:
Fett 22 g; Eiweiß 16 g; Kohlenhydrate 5 g; Ballaststoffe 2,5 g; Cholesterin 121 mg; 1180 kJ (280 cal)

Hinweis: Sind frische Artischocken nicht erhältlich, kann man auch Artischockenherzen aus dem Glas nehmen. Vor dem Gebrauch gut abtropfen lassen.

Frische Brotkrumen erhält man durch Mixen von entrindetem Weiß- oder Toastbrot in einer Küchenmaschine.

Brunnenkressesalat mit Feta und Wassermelone (oben) und Rucolasalat mit Artischocken und Parmaschinken

Asiatischer Tofu-Salat

Vorbereitungszeit: 15 Min.
Garzeit: 5 Min.
Für 4–6 Personen

1 große rote Paprika
1 große grüne Paprika
180 g Bohnensprossen
4 Frühlingszwiebeln, diagonal in dünne Scheiben geschnitten
15 g gehackter, frischer Koriander
450 g Chinakohl, fein gehobelt
40 g gehackte, geröstete Erdnüsse
450 g fester Tofu
60 ml Erdnussöl

Dressing
2 EL süße Chilisauce
2 EL Limettensaft
1/2 TL Sesamöl
1 1/2 EL helle Sojasauce
1 Knoblauchzehe, fein gehackt
3 TL fein geriebener, frischer Ingwer
60 ml Erdnussöl

1 Paprikas halbieren, entkernen und in dünne Streifen schneiden. Mit Bohnensprossen, Frühlingszwiebeln, Koriander, Kohl und Erdnüssen vermischen.
2 Tofu aus der Lake nehmen und abtropfen lassen. In 8 cm x 2 cm große Stücke schneiden. Das Öl in einer großen Pfanne mit schwerem Boden erhitzen. Tofu von beiden Seiten je 2–3 Min. braten, bis die Stücke an den Ecken goldbraun und knusprig sind. Zu den anderen Zutaten geben.
3 Für das Dressing Chilisauce, Limettensaft, Öl, Sojasauce, Knoblauch und Ingwer verrühren. Das Erdnussöl unterrühren und den Salat damit anmachen. Sofort servieren.

Asiatischer Tofu-Salat (oben) und Roastbeef-Spinat-Salat mit Sahnemeerrettich

Nährwert pro Portion:
Fett 27 g; Eiweiß 13 g; Kohlenhydrate 6 g; Ballaststoffe 4,5 g; Cholesterin 0 mg; 1325 kJ (315 cal)

Roastbeef-Spinatsalat mit Sahnemeerrettich

Vorbereitungszeit: 25 Min.
Garzeit: 15 Min.
Für 4 Personen

200 g grüne Bohnen, geputzt
500 g Rinderlendensteak, in 3 cm dicke Scheiben geschnitten
1 rote Zwiebel, geschält und halbiert
1 EL Olivenöl
100 g junger Spinat
50 g Brunnenkresseblätter
200 g eingelegte, sonnengetrocknete Tomaten, abgetropft
125 g griechischer Joghurt
1 EL Sahnemeerrettich
2 EL Zitronensaft
2 EL Sahne
2 Knoblauchzehen
2–3 Spritzer Tabasco
schwarzer Pfeffer aus der Mühle
Meersalz, nach Geschmack

1 Die Bohnen in reichlich kochendem und gesalzenem Wasser 4 Min. kochen. Herausnehmen und unter fließend kaltem Wasser abschrecken. Abtropfen lassen und beiseite stellen. Einen Holzkohlengrill anzünden oder eine Grillpfanne erhitzen. Fleisch und Zwiebeln mit dem Öl einstreichen und die Steaks 2–3 Min. von jeder Seite grillen, bis das Fleisch innen rosa ist. Vom Grill oder aus der Pfanne nehmen und 5 Min. ruhen lassen. Inzwischen die Zwiebeln von jeder Seite 2–3 Min. grillen, bis ein Grillmuster zu erkennen ist.
2 Spinat, Brunnenkresse, Tomaten und Bohnen in einer großen Schüssel mischen. Joghurt, Meerrettich, Zitronensaft, Sahne, Knoblauch, Tabasco und etwas schwarzen Pfeffer in einer kleinen Schüssel mischen. 15 Min. kalt stellen.
3 Das Rindfleisch gegen die Faser in dünne Streifen schneiden und auf dem Salat anrichten. Zwiebeln in Scheiben schneiden und ebenfalls auf dem Salat anrichten. Die Sauce darüber träufeln und den Salat nach Geschmack mit Meersalz und schwarzem Pfeffer aus der Mühle würzen.

Nährwert pro Portion:
Fett 15,5 g; Eiweiß 35 g; Kohlenhydrate 8 g; Ballaststoffe 4 g; Cholesterin 108 mg; 1295 kJ (310 cal)

Asiatischer Schweinefleischsalat

Vorbereitungszeit: 15 Min.
Garzeit: 2 Min.
Für 4 Personen

2 TL Reisweinessig
1 kleiner, frischer roter Chili, fein gehackt
2 EL helle Sojasauce
1 TL frischer Ingwer, in Streifen geschnitten
1/4 TL Sesamöl
1 Sternanis
2 TL Limettensaft
250 g auf asiatische Art mariniertes und gebratenes Schweinefleisch
100 g Zuckerschotensprossen
2 Frühlingszwiebeln, diagonal in dünne Scheiben geschnitten
1/2 rote Paprika, in dünne Streifen geschnitten

1 Für das Dressing Essig, Chili, Sojasauce, Ingwer, Sesamöl, Sternanis und Limettensaft in einen kleinen Topf geben bei mittlerer Hitze unter Rühren langsam zum Kochen bringen. Vom Herd nehmen und auskühlen lassen. Das Stück Sternanis herausnehmen.

2 Das Schweinefleisch in dünne Streifen schneiden und in eine Servierschüssel geben. Die Zuckerschotensprossen von braunen oder gebrochenen Sprossen befreien und über das geschnittene Fleisch streuen. Frühlingszwiebeln und Paprikastreifen hinzufügen und den Salat mit dem Dressing anmachen.

Nährwert pro Portion:
Fett 10 g; Eiweiß 17 g; Kohlenhydrate 10 g; Ballaststoffe 3,5 g; Cholesterin 39,5 mg; 810 kJ (195 cal)

Krabbensalat mit grüner Mango

Vorbereitungszeit: 20 Min.
Garzeit: 5 Min.
Für 4–6 Personen

2 Knoblauchzehen, geschält
2 kleine, frische rote Chilis
2 EL getrocknete Garnelen
1/2 TL Salz
2 EL Fischsauce
3 EL Limettensaft
3 TL Palmzucker, gerieben
30 g geraspelte Kokosnuss (siehe Hinweis)
300 g grob geraspelte grüne Mango
10 g frische Minzeblätter (große Blätter zerpflücken)
15 g frische Korianderblätter
3 Kaffir-Limettenblätter, in sehr dünne Streifen geschnitten
2 TL kandierter Ingwer, in sehr dünne Streifen geschnitten
500 g frisches Krabbenfleisch (von Taschenkrebsen)
Bananenblätter zum Servieren
2 EL zerstoßene, geröstete Erdnüsse
Limettenspalten, als Garnitur

1 Ofen auf 180 °C (Gas: Stufe 3–4) vorheizen. Knoblauch, frische Chilis, getrocknete Garnelen und 1/2 TL Salz in einem Mörser zu einer feinen Paste zerstoßen. Die Fischsauce, Limettensaft und Palmzucker mit einer Gabel untermischen.

2 Geriebene Kokosnuss auf ein Backblech geben und 3–5 Min. backen, dabei das Blech öfters kurz schütteln, damit die Kokosraspeln gleichmäßig geröstet werden. Den Bräunungsprozess im Ofen genau verfolgen, da die Raspeln sehr schnell schwarz werden.

3 Die geraspelte Mango in eine große Schüssel geben und die Minze, Koriander, Limettenblätter, Ingwer, Kokosnuss und Krabbenfleisch hinzufügen. Den Salat mit der Sauce anmachen.

4 Jede Servierschale mit einem Bananenblatt auskleiden. Den Krabbensalat auf die Bananenblätter löffeln und mit den Erdnüssen bestreuen. Mit den Limettenspalten garnieren und sofort servieren.

Nährwert pro Portion (6):
Fett 6,5 g; Eiweiß 14 g; Kohlenhydrate 9 g; Ballaststoffe 2 g; Cholesterin 77 mg; 610 kJ (145 cal)

Hinweis: Frisch geraspelte Kokosnuss ist sehr aromatisch und schmackhaft. Es lohnt sich, die braune Haut vom Kokosfruchtfleisch zu entfernen und das Fruchtfleisch mit einem Sparschäler abzuschälen.

Die Bananenblätter dienen ausschließlich der Dekoration und sind ungenießbar.

Asiatischer Schweinefleischsalat (oben) und Krabbensalat mit grüner Mango und Kokosnuss

Radicchio mit Feigen und Ingwer-Vinaigrette

Vorbereitungszeit: 15 Min.
Garzeit: Keine
Für 4 Personen

1 Radicchio
1 kleiner Friséesalat (siehe Hinweis)
3 Orangen
1/2 rote Zwiebel, in dünne Ringe geschnitten
8 kleine grüne Feigen, geviertelt
3 EL natives Olivenöl extra
1 TL Rotweinessig
1 Msp. gemahlener Zimt
2 EL Orangensaft
2 EL sehr fein gehackter kandierter Ingwer mit Sirup
Salz u. Pfeffer aus der Mühle
2 Granatäpfel, nach Belieben

1 Radicchio und Frisée putzen, zerpflücken und in kaltem Wasser waschen. Gut abtropfen oder trocken schleudern.
2 Orangen schälen und die weiße Haut vollständig wegschneiden. In Segmente aufteilen und mit den Zwiebelringen, Salatblättern und Feigen (8 Feigenviertel aufbewahren) in eine große Schüssel geben.
3 Olivenöl, Essig, Zimt, Orangensaft und Ingwer in einem Glas verrühren. Mit Salz und Pfeffer würzen. Die Blattsalate mit der Sauce anmachen.

Radicchio mit Feigen und Ingwervinaigrette (oben) und Breite-Bohnen-Minze-Specksalat

4 Die beiseite gelegten Feigenviertel paarweise auf dem Salat anrichten und den Salat nach Belieben mit Granatapfelsamen bestreuen. Dazu die Granatäpfel halbieren und die Samen herauslöffeln.

Nährwert pro Portion:
Fett 14 g; Eiweiß 5 g; Kohlenhydrate 27 g; Ballaststoffe 9,5 g; Cholesterin 0 mg; 1055 kJ (250 cal)

Variante: Dieser Salat schmeckt auch köstlich, wenn man die Orangenstücke durch Mandarinen ersetzt. Die Salatsauce dann mit Mandarinensaft zubereiten.

Grüne-Bohnen-Minze-Specksalat

Vorbereitungszeit: 20 Min.
Garzeit: 5 Min.
Für 4 Personen

600 g gefrorene grüne Bohnenkerne (siehe Hinweis)
150 g in Streifen geschnittener Blattsalat oder Römischer Salat
35 g frische Minze
250 g Kasselerfleisch oder durchwachsener Speck
1 EL Olivenöl
1 1/2 TL Dijonsenf
1 TL Zucker
2 EL Weißweinessig
60 ml natives Olivenöl
Salz u. Pfeffer aus der Mühle
4 frische, kleine Fladenbrote

1 Grüne Bohnenkerne gemäß den Angaben auf der Verpackung blanchieren. Abgießen und unter fließend kaltem Wasser abschrecken und die transparente Haut der Bohnenkerne entfernen. Mit den Blattsalaten in eine große Schüssel geben.
2 Kasselerfleisch in dicke Scheiben und dann in 2 cm dicke Stücke schneiden. Öl in einer Pfanne mit schwerem Boden erhitzen und das Kasselerfleisch darin in 3–4 Min. goldgelb braten. Etwas abkühlen lassen und zu den Blattsalaten geben.
3 Senf, Zucker und Essig in einem Glas verrühren. 60 ml Olivenöl mit einem Schneebesen unterrühren und die Sauce mit Salz und Pfeffer abschmecken. Den Salat auf aufgeschnittenen, frischen oder getoasteten Fladenbroten anrichten und servieren.

Nährwert pro Portion:
Fett 37 g; Eiweiß 26 g; Kohlenhydrate 56 g; Ballaststoffe 16 g; Cholesterin 37,5 mg; 2745 kJ (655 cal)

Hinweis: Sind grüne Bohnenkerne, auch Flageolet- oder Krüllbohnen genannt, frisch erhältlich, unbedingt zugreifen. Für 600 g grüne Bohnenkerne palt man etwa 1,8 kg frische breite Bohnen. Die frischen Kerne etwa 2 Min. kochen und anschließend die Bohnen zwischen Daumen und Zeigefinger nehmen und den zarten, grünen Kern aus der transparenten Haut heraus gleiten lassen.

Rindfleischsalat mit Sataysauce

Vorbereitungszeit: 30 Min. + 2 Std. Marinieren
Garzeit: 20 Min.
Für 4 Personen

2 TL Tamarindenfruchtfleisch (als Püree oder in Blockform)
1/2 TL Sesamöl
2 EL Sojasauce
2 TL brauner Zucker
2 Knoblauchzehen, zerdrückt
1 EL Limettensaft
700 g Rinderlendensteaks
1 EL Erdnussöl
6 große Salatblätter (Römischer Salat oder Kopfsalat)
1 rote Paprika, halbiert, entkernt und in dünne Streifen geschnitten
180 g Bohnensprossen
2 EL frittierte Zwiebelflocken

Sataysauce
2 frische rote Chilis, gehackt
1/2 TL Garnelenpaste
1 Knoblauchzehe
6 rote asiatische Schalotten
2 TL Erdnussöl
250 ml Kokosmilch
1 EL Limettensaft
120 g ungesalzene, geröstete Erdnüsse, in der Küchenmaschine fein gemahlen
1 EL Ketjap Manis
1 EL brauner Zucker
1 EL Fischsauce
2 Kaffir-Limettenblätter, in dünne Streifen geschnitten
Salz u. Pfeffer aus der Mühle

1 Tamarindenfruchtfleisch und 60 ml kochendes Wasser in eine hitzefeste Schüssel geben und abkühlen lassen. Das Fruchtfleisch mit den Fingerspitzen zerdrücken, damit es sich auflöst. Die Flüssigkeit durch ein Sieb abgießen und aufbewahren.

2 Sesamöl, Sojasauce, Zucker, zerdrückten Knoblauch, Limettensaft und 2 EL des Tamarindenwassers in eine große Keramikschüssel geben. Die Rinderlendensteaks hineingeben und darin wenden. Die Schüssel zugedeckt für 2 Std. in den Kühlschrank stellen.

3 Inzwischen die Sataysauce zubereiten. Dazu die Chilis, Garnelenpaste, Knoblauch und Schalotten in einer Küchenmaschine zu einer Paste pürieren. Erdnussöl in einer Pfanne erhitzen und die Paste darin 3 Min. garen. Kokosmilch, Limettensaft, gemahlene Erdnüsse, übriges Tamarindenwasser, Ketjap Manis, Zucker, Fischsauce und Kaffir-Limettenblätter zugeben. Bei mittlerer Hitze kochen, bis die Sauce etwas eingedickt ist. 125 ml Wasser dazugießen und die Sauce erneut zum Kochen bringen. Weitere 2 Min. kochen und mit Salz und Pfeffer abschmecken.

4 Erdnussöl in einer Pfanne oder Grillpfanne stark erhitzen und die marinierten Steaks darin etwa 3 Min. von beiden Seiten braten, bis das Fleisch innen rosa ist. Aus der Pfanne nehmen und 3 Min. ruhen lassen. Gegen die Faser in dünne Streifen schneiden. Fleischstreifen mit dem Blattsalat, Paprika und Bohnensprossen in einer großen Schüssel vermischen. Den Salat auf 4 großen Tellern anrichten, mit der Sataysauce beträufeln und mit Zwiebelflocken bestreuen.

Nährwert pro Portion:
Fett 39 g; Eiweiß 54 g; Kohlenhydrate 15 g; Ballaststoffe 6,5 g; Cholesterin 117,5 mg; 2600 kJ (620 cal)

Hinweis: Tamarinde verleiht asiatischen Gerichten eine feine, säuerliche Note. Tamarindenfruchtfleisch gibt es gepresst in Blockform (meist mit Kernen), als Püree oder Konzentrat. Wichtig ist, dass die im Rezept angegebene Menge und Form von Tamarindenfruchtfleisch genau eingehalten wird, da jede Form in Konzentration und Geschmack sehr unterschiedlich ist. Es ist in Asia-Shops erhältlich.

Frittierte Zwiebelflocken sind sehr knusprig und in Asia-Shops erhältlich. Man nimmt sie als Garnitur für Suppen und Salate.

Rindfleischsalat mit Sataysauce

SALATGARNITUREN

Aus einem einfachen Salat wird durch Zugabe einer oder mehrerer der folgenden Garnituren im Handumdrehen eine köstliche, elegante Mahlzeit. Dabei muss man mit den Mengen nicht unbedingt sparsam sein – die Garnitur großzügig über den Salat streuen oder, wie im Falle der Ziegenkäse-Croûtons, neben oder auf dem Salat anrichten.

Knusprige Kapern

50 g Kapern in kaltem Wasser abspülen und gründlich trocken tupfen. Einen kleinen Topf mit schwerem Boden 1 cm hoch mit Öl füllen und auf 180 °C erhitzen. Kapern vorsichtig ins heiße Fett tauchen und knusprig backen. Sie öffnen sich dabei wie eine Blume. Mit einem Schaum- oder Gitterlöffel herausnehmen und auf Küchenpapier abtropfen lassen.

Abgeschälte Weisse-Rüben-Süsskartoffel-Chips

Mit einem Sparschäler geschälte weiße Rüben und Süßkartoffeln abschälen. Einen Topf mit schwerem Boden zu einem Drittel mit Öl füllen und auf 180 °C erhitzen. Das Gemüse darin portionsweise in mehreren Gängen in etwa 2 Min. goldbraun backen. Mit einem Schaum- oder Gitterlöffel herausnehmen und auf Küchenpapier abtropfen lassen. Noch heiß mit Salz bestreuen.

Ziegenkäse-Croûtons

Den Grill des Ofens vorheizen. Eine Baguette diagonal in dünne Scheiben schneiden und diese auf ein Backblech legen. Auf einer Seite etwa 1 Min. backen, bis die Scheiben goldbraun sind. Die andere Seite großzügig mit Ziegenkäse bestreichen. Etwas Olivenöl darüber träufeln, mit gemahlenem schwarzen Pfeffer und fein gehacktem frischen Thymian bestreuen. Die Croûtons erneut unter den Grill geben und 2 Min. backen, bis der Käse Blasen wirft und goldgelb ist.

Knusprige Kapern

Abgeschälte Weiße-Rüben-Süßkartoffel-Chips

Ziegenkäse-Croûtons

Knoblauch-Parmesan-Croûtons

Die Rinde von drei dicken Scheiben Brot aus Sauerteig wegschneiden und das Brot in 1,5 cm große Würfel schneiden. 2 EL Butter zusammen mit 2 EL Olivenöl in einer Pfanne erhitzen und 1 zerdrückte Knoblauchzehe mit den Brotwürfeln hineingeben. Mit einem Kochlöffel die Brotwürfel in der Pfanne rühren, damit sie das Fett gleichmäßig aufnehmen. Dann 2 EL geriebenen Parmesan und 1 EL gehackte, frische Petersilie darüber streuen und die Croûtons auf ein Backblech streuen. Im 180 °C heißen Ofen 5-8 Min. backen, bis der Käse geschmolzen und die Croûtons goldbraun und knusprig sind.

Frittierte, frische Kräuter

Frische Kräuter, wie Petersilie, Basilikum und Salbeiblätter waschen und trocken tupfen. Einen kleinen Topf mit schwerem Boden 1 cm hoch mit Öl füllen und auf 180 °C erhitzen. Die Kräuter in kleineren Mengen vorsichtig ins heiße Fett geben und etwa 30 Sek. backen, bis von den Kräutern keine Blasen mehr nach oben steigen. Dabei die Kräuter nicht bräunen, da sie sonst bitter schmecken. Mit einem Schaum- oder Gitterlöffel behutsam aus dem Fett nehmen und auf Küchenpapier abtropfen lassen.

Knusprige Zwiebeln, Knoblauch und Schalotten

Eine Zwiebel und mehrere Schalotten schälen und in Ringe schneiden. Einige Knoblauchzehen schälen und in sehr dünne Scheiben schneiden. Einen Topf mit schwerem Boden zu einem Drittel mit Öl füllen und auf 180 °C erhitzen. Die geschnittenen Zutaten mit einem Küchentuch trocken tupfen. Die Zwiebeln und Schalotten portionsweise in mehreren Gängen etwa 5 Min. und die Knoblauchzehen danach etwa 1 Min. im heißen Fett backen, bis sie knusprig und goldbraun sind. Mit einem Schaum- oder Gitterlöffel herausnehmen und auf Küchenpapier abtropfen lassen. Wichtig ist, dass sie nicht zu dunkel gebacken werden, da sie sonst bitter schmecken.

Knoblauch-Parmesan-Croûtons

Frittierte, frische Kräuter

Knusprige Zwiebeln, Knoblauch und Schalotten

Eiersalat mit Sahnesauce

Vorbereitungszeit: 15 Min.
Garzeit: 10 Min.
Für 4 Personen

10 zimmerwarme, große Eier
1 Eigelb
3 TL Zitronensaft
2 TL Dijonsenf
Salz u. Pfeffer aus der Mühle
70 ml Olivenöl
70 ml Sonnenblumenöl
2 EL gehackter, frischer Dill
30 ml Crème fraîche
2 EL kleine Kapern
20 g Gartenkresse

1 Die Eier in einen Topf geben und mit kaltem Wasser bedecken. Zum Kochen bringen und 10 Min. kochen. Abgießen und unter fließend kaltem Wasser abschrecken. Die Eier schälen.
2 Eigelb, Zitronensaft und Dijonsenf in eine Küchenmaschine geben und glatt mixen. Mit Salz und Pfeffer abschmecken. Bei mittlerer Geschwindigkeit das Oliven- und Sonnenblumenöl in einem dünnen Strahl (anfangs tropfenweise) untermischen. Die fertige Mayonnaise in eine große Schüssel umfüllen und Dill, Crème fraîche und Kapern untermischen.
3 Eier grob hacken und unter die Mayonnaise heben. Den Salat in eine Servierschüssel umfüllen. Mit einer Schere die grünen Spitzen von der Gartenkresse abschneiden und über den Salat streuen.

Nährwert pro Portion:
Fett 47,5 g; Eiweiß 18 g; Kohlenhydrate 2 g; Ballaststoffe 0,5 g; Cholesterin 566,5 mg; 2080 kJ (495 cal)

Serviervorschlag: Den Salat auf getoasteten Ciabatta-Brotscheiben als *bruschetta* servieren. Die *bruschetta* mit Räucherlachs, Gartenkresse und schwarzem Pfeffer aus der Mühle garnieren.

Wildreis mit gebratenem Hähnchen und asiatischem Dressing

Vorbereitungszeit: 15 Min.
Garzeit: 40 Min.
Für 8 Personen

190 g Wildreis
200 g Jasminreis
1 auf chinesische Art mariniertes und gebratenes Huhn (siehe Hinweis)
15 g gehackte, frische Minze
15 g gehackter, frischer Koriander
1 große Salatgurke
6 Frühlingszwiebeln
80 g geröstete Erdnüsse, grob gehackt
80 ml Mirin
2 EL chinesischer Reiswein
1 EL Sojasauce
1 EL Limettensaft
2 EL süße Chilisauce
süße Chilisauce zum Servieren

1 Wildreis in einem großen Topf mit kochendem und gesalzenem Wasser in etwa 30 Min. weich kochen. Dann den Jasminreis hinzufügen und den Reis weitere 10 Min. garen, bis er weich ist. Abgießen, unter fließend kaltem Wasser abschrecken und gut abtropfen lassen.
2 Hähnchen mit Haut in mundgerechte Stücke zerpflücken und in eine große Schüssel geben. Minze und Koriander hinzufügen. Die ungeschälte Gurke längs halbieren und diagonal in dünne Scheiben schneiden. Frühlingszwiebeln ebenfalls diagonal in dünne Scheiben schneiden. Gurkenscheiben, Frühlingszwiebeln, Reis und Erdnüsse zu den Hähnchenstücken geben.
3 Mirin, Reiswein, Sojasauce und süße Chilisauce in einem Glas verrühren und über den Salat gießen. Salat mit der Sauce gründlich anmachen und auf Portionstellern anrichten. Dazu süße Chilisauce servieren.

Nährwert pro Portion:
Fett 12,5 g; Eiweiß 20 g; Kohlenhydrate 36 g; Ballaststoffe 3 g; Cholesterin 40,5 mg; 1440 kJ (345 cal)

Hinweis: Auf chinesische Art marinierte und gebratene Hühner kann man in China-Restaurants vorbestellen oder auch in vereinfachter Form selbst zubereiten. Dazu ein küchenfertiges Brathuhn über Nacht in eine Marinade aus Sojasauce und Fünf-Gewürzpulver einlegen und dann wie ein gewöhnliches Brathuhn im Ofen knusprig braten.

Eiersalat mit Sahnesauce (oben) und Wildreis mit gebratenem Hähnchen und asiatischem Dressing

Marokkanische Auberginen mit Couscous

Vorbereitungszeit: 30 Min.
Garzeit: 45 Min.
Für 4 Personen

- 185 g Instant-Couscous
- 200 ml Olivenöl
- 1 Zwiebel, halbiert und in Scheiben geschnitten
- 1 Aubergine
- 3 TL gemahlener Kreuzkümmel
- 1 1/2 TL Knoblauchsalz
- 1/4 TL gemahlener Zimt
- 1 TL Rosenpaprika
- 1/4 TL gemahlene Nelken
- 50 g Butter
- 30 g grob gehackte, frische Petersilie

1 Couscous in eine große Schüssel geben und mit 375 ml kochendem Wasser bedecken. 10 Min. quellen lassen, anschließend mit einer Gabel auflockern.

2 2 EL Öl in eine große Pfanne geben und die Zwiebeln darin in 8–10 Min. leicht bräunen. Herausnehmen und das Öl nicht abschütten.

3 Aubergine in 1 cm dicke Scheiben schneiden und diese vierteln. In eine große Schüssel geben. Kreuzkümmel, Knoblauchsalz, Zimt, Paprika, Nelken und 1/2 TL Salz mischen. Die Auberginen mit der Gewürzmischung anmachen. Übriges Öl in die Pfanne geben und erhitzen. Die gewürzten Auberginen darin bei mittlerer Hitze von allen Seiten anbraten und etwa 20 Min. bei niedriger Hitze unter gelegentlichem Wenden garen. Aus der Pfanne nehmen und abkühlen lassen.

4 Butter in der gleichen Pfanne zerlassen und den Couscous darin 2–3 Min. erhitzen. Zwiebeln, Auberginen und Petersilie untermischen. Abkühlen lassen und servieren.

Nährwert pro Portion:
Fett 55 g; Eiweiß 8 g; Kohlenhydrate 41 g; Ballaststoffe 3,5 g; Cholesterin 31,5 mg; 2845 kJ (680 cal)

Marokkanische Auberginen mit Couscous (oben) und Pasta-Salat mit gerösteten Tomaten und Pesto

Pasta-Salat mit gebratenen Tomaten und Pesto

Vorbereitungszeit: 15 Min.
Garzeit: 30 Min.
Für 4 Personen

- 140 ml Olivenöl
- 500 g Kirschtomaten
- Salz u. Pfeffer aus der Mühle
- 5 Knoblauchzehen, ungeschält
- 400 g Penne
- 90 g Pesto (siehe Hinweis)
- 3 EL Balsamessig
- frisches Basilikum, als Garnitur

1 Ofen auf 180 °C (Gas: Stufe 3–4) vorheizen. 2 EL Öl in eine flache Auflaufform gießen und 5 Min. in den heißen Ofen stellen. Tomaten und Knoblauch in die Form geben, gut salzen und pfeffern und die Tomaten in dem heißen Öl wenden. 30 Min. im Ofen braten.

2 Inzwischen die Penne in einem großen Topf mit kochendem und gesalzenem Wasser bissfest kochen. Abgießen, gut abtropfen lassen und in eine große Schüssel umfüllen.

3 Das Fruchtfleisch aus den gebratenen Knoblauchzehen in eine Schüssel pressen. Übriges Olivenöl, Pesto, Essig und 3 EL der Tomatengarflüssigkeit zugeben. Mit etwas Salz und Pfeffer würzen und die Zutaten gut vermischen. Über die Pasta geben und gründlich untermengen. Dann die gebratenen Tomaten behutsam untermischen und den Salat mit Basilikum bestreuen. Dieser Salat kann 4 Std. im Voraus zubereitet werden und warm oder kalt serviert werden.

Nährwert pro Portion:
Fett 46,5 g; Eiweiß 14g; Kohlenhydrate 74 g; Ballaststoffe 8 g; Cholesterin 4 mg; 3225 kJ (770 cal)

Hinweis: Für ein selbst zubereitetes Pesto 50 g geröstete Pinienkerne, 50 g frisches Basilikum, 2 zerdrückte Knoblauchzehen, 1/2 TL Salz und 125 ml Olivenöl in eine Küchenmaschine geben. Glatt mixen, in eine Schüssel umfüllen und 30 g fein geriebenen Parmesan und 20 g fein geriebenen Pecorino untermischen. Ergibt etwa 250 g Pesto.

Jakobsmuschelsalat mit Safrandressing

Vorbereitungszeit: 30 Min.
Garzeit: 5 Min.
Für 4 Personen

1/4 TL Safranfäden
60 g Mayonnaise
1 1/2 EL Sahne
1 TL Zitronensaft
20 Jakobsmuscheln (500 g) mit Corail
25 g Butter
1 EL Olivenöl
100 g gemischte Blattsalate
1 EL ganze Kerbelblätter

1 Für das Dressing die Safranfäden in eine Schüssel geben und in 2 TL heißem Wasser etwa 10 Min. einweichen. Mayonnaise zugeben und gründlich vermischen, bis sie gelblich wird. Sahne und Zitronensaft untermischen. Bis zum Gebrauch in den Kühlschrank stellen.

2 Jakobsmuscheln säubern, unter fließend kaltem Wasser abspülen und trocken tupfen. Öl und Butter in einer großen Pfanne stark erhitzen und die Jakobsmuscheln portionsweise in mehreren Gängen etwa 1 Min. von jeder Seite braten.

3 Blattsalate und Kerbel auf 4 Tellern anrichten und je 5 Jakobsmuscheln auf jeden Salat geben. Safrandressing über die Muscheln und Salate löffeln und sofort servieren.

Nährwert pro Portion:
Fett 17,5 g; Eiweiß 8 g; Kohlenhydrate 3,5 g; Ballaststoffe 0,5 g; Cholesterin 51 mg; 845 kJ (200 cal)

Moderner Nizzaer Salat

Vorbereitungszeit: 25 Min.
Garzeit : 20 Min.
Für 4 Personen

60 ml Zitronensaft
1 Knoblauchzehe, zerdrückt
140 ml Olivenöl
Salz u. Pfeffer aus der Mühle
400 g fest kochende Kartoffeln (z.B. Sieglinde oder Nicola), geschält und kleinere Stücke geschnitten
3 Eier
120 g grüne Bohnen, geputzt
1 grüne Paprika, halbiert, entkernt und in dünne Streifen geschnitten
120 g schwarze Oliven
300 g feste, reife Tomaten, in Spalten geschnitten
100 g Salatgurke, geschält, längs halbiert, entkernt und in Stücke geschnitten
3 Frühlingszwiebeln, in 2 cm lange Stücke geschnitten
600 g frische Thunfischsteaks

1 Zitronensaft, Knoblauch und 120 ml Olivenöl in ein Schraubglas geben, mit Salz und Pfeffer würzen und schütteln.

2 Topf mit gesalzenem Wasser zum Kochen bringen, Kartoffeln zugeben und etwa 10 Min. köcheln lassen. 8 Min. vor Ende der Garzeit die Eier hinzufügen. Abgießen und die Eier unter fließend kaltem Wasser abschrecken. Die Kartoffeln abkühlen lassen. Einen Topf mit gesalzenem Wasser zum Kochen bringen, grüne Bohnen hineingeben und 3 Min. kochen. Herausnehmen und unter fließend kaltem Wasser abschrecken. Abtropfen lassen und diagonal halbieren.

3 Kartoffeln und Bohnen in eine große Schüssel geben und Paprika, Oliven, Tomaten, Gurkenstücke und Frühlingszwiebeln hinzufügen. Salatsauce durch ein Sieb gießen und den Knoblauch entfernen. Erneut im Schraubglas schütteln und die Hälfte der Sauce über die Salatzutaten gießen. Den Salat damit gründlich anmachen und in eine Servierschüssel umfüllen.

4 Eine gerillte Grillpfanne oder große Bratpfanne stark erhitzen. Übriges Olivenöl hinein gießen und erhitzen. Thunfischsteaks von beiden Seiten gut salzen und pfeffern und von jeder Seite 1–2 Min. braten, bis das Fleisch innen je nach gewünschtem Gargrad blutig, rosa oder durch ist. Aus der Pfanne nehmen und 5 Min. ruhen lassen. In dünne Scheiben schneiden und mit den geviertelten Eiern auf dem Salat anrichten. Übrige Salatsauce darüber löffeln und sofort servieren.

Nährwert pro Portion:
Fett 44 g; Eiweiß 48 g; Kohlenhydrate 25 g; Ballaststoffe 4,5 g; Cholesterin 194,5 mg; 2855 kJ (680 cal)

Jakobsmuschelsalat mit Safrandressing (oben) und Moderner Nizzaer Salat

Blattsalate mit Chili-Hähnchen und Cashewkernen

Vorbereitungszeit: 30 Min.
Garzeit: 15 Min.
Für 4 Personen

- 3 EL süße Chilisauce
- 2 EL Limettensauce
- 2 TL Fischsauce
- 2 EL gehackter, frischer Koriander
- 1 Knoblauchzehe, zerdrückt
- 1 kleiner, frischer roter Chili, fein gehackt
- 1 1/2 TL geriebener, frischer Ingwer
- 2 EL Olivenöl
- 600 g Hühnerbrüste
- 100 g Blattsalate
- 250 g Kirschtomaten, halbiert
- 100 g Salatgurke, geschält, längs halbiert, entkernt und in mundgerechte Stücke geschnitten
- 50 g Zuckerschotensprossen, geputzt
- 80 g Cashewkerne, grob gehackt

1 Chilisauce, Limettensaft, Fischsauce, Koriander, Knoblauch, Chili, Ingwer und 1 EL Öl in einer großen Schüssel verrühren.

2 Übriges Öl in einer Grill- oder Bratpfanne erhitzen und die Hühnerbrüste darin von jeder Seite 5–8 Min. bei mittlerer Hitze braten, bis sie durch sind. Jede Hühnerbrust noch heiß gegen die Faser in 1 cm dicke Streifen schneiden. In die Schüssel geben und mit der Sauce gründlich anmachen. Etwas abkühlen lassen.

3 Blattsalate, Tomaten, Gurkenstücke und Zuckerschotensprossen in einer großen Servierschüssel vermischen. Die Hühnerfleischstreifen mit der gesamten Sauce über den Salat geben und behutsam mischen. Mit gehackten Cashewkernen bestreuen und servieren.

Nährwert pro Portion:
Fett 25 g; Eiweiß 37 g; Kohlenhydrate 11 g; Ballaststoffe 4,5 g; Cholesterin 103,5 mg; 1740 kJ (415 cal)

Blattsalate mit Lachs in Pfefferkruste

Vorbereitungszeit: 30 Min. + 30 Min. Kühlen
Garzeit: 10 Min.
Für 4 Personen

- 1 TL grob gemahlener schwarzer Pfeffer
- 1/4 TL Salz
- 4 Lachsfilets (je 180 g) ohne Haut
- 80 g Mayonnaise
- 1 1/2 EL Zitronensaft
- 2 TL Sahnemeerrettich
- 1 kleine Knoblauchzehe, zerdrückt
- 2 EL gehackte, frische Petersilie
- 100 g Brunnenkresse
- 3 EL Olivenöl
- 25 g Butter
- 100 g Kopfsalat

1 Pfeffer und Salz in einer Schüssel vermischen und die Lachsfilets darin wenden. Dabei die Gewürze mit den Fingern auf den Filets fest drücken.

2 Mayonnaise, Zitronensaft, Meerrettich, Knoblauch, Petersilie, 60 g der Brunnenkresse, 1 EL Öl und 1 EL warmes Wasser in einer Küchenmaschine etwa 1 Min. mixen. Sauce in eine Schüssel umfüllen, mit Salz und Pfeffer abschmecken und in den Kühlschrank stellen.

3 Butter und 1 EL Öl in einer großen Pfanne erhitzen, bis die Butter aufschäumt. Die Lachsfilets hineingeben und von jeder Seite bei mittlerer Hitze 2–3 Min. braten, bis die Filets je nach gewünschtem Gargrad rosa, bis durch sind. Aus der Pfanne nehmen und etwas abkühlen lassen.

4 Kopfsalatblätter waschen und trocken schleudern oder trocken tupfen. In kleinere Stücke zerpflücken. Zusammen mit der übrigen Brunnenkresse in der Mitte von 4 Tellern anrichten und das übrige Olivenöl darüber träufeln. Jedes Lachsfilet in 4–5 Stücke zerpflücken und auf dem Salat anrichten. Die Sauce über den Lachs und außen um den Salat herum löffeln.

Nährwert pro Portion:
Fett 36,5 g; Eiweiß 36 g; Kohlenhydrate 5 g; Ballaststoffe 2 g; Cholesterin 113,5 mg; 2050 kJ (490 cal)

Blattsalate mit Chili-Hähnchen und Cashewkernen (oben) und Blattsalate mit Lachsfilet in Pefferkruste

Kalmarsalat mit Salsa verde

Vorbereitungszeit: 30 Min.
+2 Std. Marinieren
Garzeit: 20 Min.
Für 4 Personen

800 g kleinere Kalmare, gesäubert, die Haut entfernt und in 4 cm große Vierecke geschnitten
2 EL Olivenöl
2 EL Limettensaft
Salz u. Pfeffer aus der Mühle
150 g grüne Bohnen
150 g grüner Spargel
1 TL Öl extra
100 g junger Rucola, gewaschen und trocken getupft

Salsa verde
1 dicke Scheibe Weißbrot, ohne Rinde
140 ml Olivenöl
3 EL fein gehackte, frische Petersilie
2 TL fein gehackte Zitronenschale
60 ml Zitronensaft
2 Anchovisfilets, fein gehackt
2 EL Kapern
1 Knoblauchzehe, zerdrückt

1 Kalmarstücke mit dem Olivenöl, Limettensaft und etwas Salz und Pfeffer in einer Schüssel vermischen und zugedeckt für 2 Std. in den Kühlschrank stellen.
2 Für die *Salsa verde* das Brot zerpflücken, 2 EL Olivenöl darüber löffeln und mit den Fingern vermischen, damit das Brot das Öl absorbiert. Brot zusammen mit dem übrigen Öl, Petersilie, Zitronenschale und -saft, Anchovis, Kapern und Knoblauch in eine Küchenmaschine geben und zu einer dicken Paste zerkleinern. Ist die Paste zu dick, etwas Zitronensaft und Olivenöl hinzufügen. Mit Salz und Pfeffer abschmecken.
3 Grüne Bohnen putzen, das untere Drittel der Spargelstangen abschälen und die unteren Enden abschneiden. Bohnen und Spargelstangen in der Hälfte diagonal durchschneiden. Bohnen in einem Topf mit kochendem und leicht gesalzenem Wasser 3 Min. kochen. Herausnehmen und unter fließend kaltem Wasser abschrecken. Abtropfen lassen. Spargelstangen im kochenden und leicht gesalzenen Wasser 1–2 Min. blanchieren und ebenfalls unter fließend kaltem Wasser abschrecken. Abtropfen lassen.
4 1 EL Öl in einer Pfanne mit schwerem Boden stark erhitzen. Die marinierten Kalmarstücke darin portionsweise in mehreren Gängen in je 3 Min. knapp durch braten. Etwas abkühlen lassen.
5 Grüne Bohnen, Spargel, Rucola und Tintenfisch in einer großen Schüssel mischen. 3 EL der *Salsa verde* zugeben und den Salat damit anmachen. Auf einer Servierplatte anrichten und die übrige *Salsa verde* darüber löffeln.

Nährwert pro Portion:
Fett 44 g; Eiweiß 38 g; Kohlenhydrate 9 g; Ballaststoffe 3 g; Cholesterin 399,5 mg; 2435 kJ (580 cal)

Coleslaw

Vorbereitungszeit: 20 Min.
Garzeit: Keine
Für 8-10 Personen

1/2 Kopf Weißkohl
1/4 Kopf Rotkohl
3 Möhren, fein geraspelt
6 Radieschen, grob geraspelt
1 rote Paprika, gehackt
4 Frühlingszwiebeln, in Scheiben geschnitten
15 g gehackte, frische Petersilie
250 g Mayonnaise
Salz u. Pfeffer aus der Mühle

1 Den harten Strunk der Kohlköpfe wegschneiden und die Blätter entweder mit einem scharfen Messer in sehr dünne Streifen schneiden oder mit einem Gemüsehobel dünn hobeln. In eine große Schüssel geben und die geraspelten Möhren und Radieschen, Paprika, Frühlingszwiebeln und Petersilie untermischen.
2 Mayonnaise hinzufügen, mit Salz und Pfeffer aus der Mühle würzen und den Coleslaw-Salat damit anmachen.

Nährwert pro Portion (10):
Fett 8 g; Eiweiß 2 g; Kohlenhydrate 8,5 g; Ballaststoffe 3,5 g; Cholesterin 8 mg; 470 kJ (110 cal)

Hinweis: Das geschnittene und geraspelte Gemüse zugedeckt bis zu 3 Std. in den Kühlschrank stellen und kurz vor dem Servieren mit der Mayonnaise anmachen.

Kalmarsalat mit Salsa verde (oben) und Coleslaw

Soba-Nudelsalat mit Tahin-Dressing

Vorbereitungszeit: 20 Min.
Garzeit: 6 Min.
Für 4–6 Personen

200 g Spargelbohnen
200 g getrocknete Soba-Nudeln
1 EL Tahin (Sesammus)
1 kleine Knoblauchzehe, zerdrückt
1 1/2 EL Reisweinessig
1 1/2 EL Olivenöl
1/2 TL Sesamöl
1 TL Sojasauce
2 TL Zucker
Salz u. Pfeffer aus der Mühle
2 Frühlingszwiebeln, in dünne Scheiben geschnitten
3 TL schwarze Sesamsamen

1 Bohnen putzen und diagonal in lange Streifen schneiden. In einen Topf mit kochendem und in etwa 2 Min. gar kochen. Herausnehmen und unter fließend kaltem Wasser abschrecken. Abtropfen lassen.
2 Nudeln in kochendem und gesalzenem Wasser in 3–4 Min. bissfest kochen. Abgießen, unter fließend kaltem Wasser abschrecken und gut abtropfen lassen.
3 Tahin, Knoblauch, Sojasauce, Zucker und 2 TL warmes Wasser in ein Schraubglas geben. Gut schütteln und mit Salz und Pfeffer abschmecken.
4 Bohnen, Nudeln, Frühlingszwiebeln und Sesamsamen in einer großen Servierschüssel mischen und den Salat mit der Sauce anmachen. Sofort servieren.

Soba-Nudelsalat mit Tahin-Dressing (oben) und Thai-Octopus-Salat

Nährwert pro Portion (6):
Fett 8 g; Eiweiß 7 g; Kohlenhydrate 27 g; Ballaststoffe 2 g; Cholesterin 0 mg; 835 kJ (200 cal)

Hinweis: Den Salat erst kurz vor dem Servieren anmachen, da die Salatsauce von den Soba-Nudeln schnell absorbiert wird.

Thai-Octopus-Salat

Vorbereitungszeit: 30 Min. + 4 Std. Kühlstellen
Garzeit: 10 Min.
Für 4 Personen

8 kleine oder 4 große Octopusse
250 ml süße Chilisauce
2 EL Limettensaft
1 Stängel Zitronengras, die äußeren, harten Blätter entfernt und fein gehackt
2 kleine Salatgurken
50 g Kopfsalat, gewaschen, abgetropft und grob zerpflückt
50 g frische Korianderzweige

1 Die Fangarme der Octopusse dicht unter den Augen abschneiden. Fangarme in der Mitte leicht zurück biegen, die Kauwerkzeuge (Schnabel) heraus drücken und wegwerfen. Körper mit einer Hand festhalten und den Kopf mit den Innereien herausziehen und wegwerfen. Die Haut von den Fangarmen und dem Körper abziehen. Körper und Fangarme unter fließend kaltem Wasser gründlich waschen und trocken tupfen.
2 Körper und Fangarme der Octopusse zusammen mit der Chilisauce, Limettensaft und Zitronengras in eine große Schüssel geben und vermischen. Mit Klarsichtfolie zudecken und für mindestens 4 Std. in den Kühlschrank stellen.
3 Gurken ungeschält längs halbieren und mit einem Teelöffel entkernen. In 6 cm lange Stäbchen schneiden.
4 Eine Grillpfanne stark erhitzen. Die Octopusstücke mit einer Küchenzange aus der Marinade nehmen (Marinade aufheben) und portionsweise in mehreren Gängen in 2–3 Min. unter gelegentlichem Wenden knapp durch braten. Die gebratenen Stücke etwas abkühlen lassen. Den Rand einer Servierplatte mit den Kopfsalatblättern und Kerbelzweigen auslegen. Die Octopusstücke in die Mitte geben.
5 Die übrige Marinade in die Grillpfanne geben und etwa 2 Min. erhitzen. Gurkenstäbchen hinzufügen und kurz erhitzen und mit der Marinade über die Octopusstücke löffeln.

Nährwert pro Portion:
Fett 3 g; Eiweiß 24 g; Kohlenhydrate 13 g; Ballaststoffe 3,5 g; Cholesterin 72,5 mg; 740 kJ (175 cal)

Marokkanisch gewürzter Möhrensalat

Vorbereitungszeit: 10 Min. + 30 Min. Durchziehen
Garzeit: 5 Min.
Für 4–6 Personen

4 große Möhren
2 Kardamomkapseln
1 TL schwarze Senfsamen
1/2 TL gemahlener Kreuzkümmel
1/2 TL gemahlener Ingwer
1 TL Rosenpaprika
1/2 TL gemahlener Koriander
80 ml Olivenöl
1 EL Zitronensaft
2 EL Orangensaft
35 g Korinthen
25 g gehackter, frischer Koriander
2 EL fein gehackte Pistazien
1 TL Orangenblütenwasser
250 g Joghurt

1 Möhren schälen, grob raspeln und in eine große Schüssel geben.

2 Kardamomkapseln zerstoßen und die Samen herausnehmen. Hülsen wegwerfen. Eine Pfanne leicht erhitzen und die Senfsamen darin ein paar Sekunden rösten, bis sie zu platzen beginnen. Kreuzkümmel, Ingwer, Paprika, Kardamom und gemahlenen Koriander zugeben und etwa 5 Sek. erhitzen, bis die Gewürze zu duften beginnen. Vom Herd nehmen und das Öl, Zitronen- und Orangensaft und Korinthen dazugießen und vermischen.

3 Die Sauce über die geraspelten Möhren gießen und den Salat 30 Min. durchziehen lassen. Anschließend den frischen Koriander hinzufügen und untermischen. Den Salat in eine Servierschüssel umfüllen und mit den gehackten Pistazien garnieren. Orangenblütenwasser mit Joghurt verrühren und in ein Schälchen geben und getrennt zu dem Möhrensalat reichen.

Nährwert pro Portion (6):
Fett 16 g; Eiweiß 4 g; Kohlenhydrate 11 g; Ballaststoffe 2,5 g; Cholesterin 7 mg; 830 kJ (200 cal)

Römischer Salat mit Pinienkernen und warmem Brie-Dressing

Vorbereitungszeit: 20 Min.
Garzeit: 30 Min.
Für 4 Personen

1/2 Baguette
165 ml natives Olivenöl extra
6 Scheiben durchwachsener Speck
2 Knoblauchzehen, geschält
2 junge Römische Salate
90 g junge Spinatblätter
80 g Pinienkerne
2 Schalotten, in dünne Scheiben geschnitten
1 EL Dijonsenf
80 ml Sherryessig
300 g reifer Brie, ohne Rinde u. gewürfelt

1 Ofen auf 180 °C (Gas: Stufe 3–4) vorheizen. Baguette diagonal in dünne Scheiben schneiden. Die Scheiben beidseitig mit 2 EL Olivenöl einstreichen und auf ein Backblech legen. In 20 Min. goldbraun backen.

2 Speckscheiben auf ein separates Backblech legen und in 3–5 Min. knusprig backen. Brotscheiben aus dem Ofen nehmen und mit der Schnittseite von 2 längs halbierten Knoblauchhälften einreiben. Den Speck in Stücke schneiden und abkühlen lassen.

3 Die äußeren Blätter der Römischen Salate entfernen und in einzelne Blätter zerpflücken. Waschen und trockenschleudern oder trocken tupfen und mit den Spinatblättern in eine große Schüssel geben. Speck, Croûtons und Pinienkerne hinzufügen.

4 Übriges Olivenöl in einer Bratpfanne leicht erhitzen. Schalotten darin weich dünsten, die übrige Knoblauchzehe zerdrücken und hinzufügen. Senf und Essig mit einem Schneebesen untermischen. Dann den gewürfelten Brie unterrühren, bis er zerlaufen ist. Das Dressing vom Herd nehmen, ein wenig abkühlen lassen und den Salat damit anmachen.

Nährwert pro Portion:
Fett 76,5 g; Eiweiß 33 g; Kohlenhydrate 19 g; Ballaststoffe 4,5 g; Cholesterin 101 mg; 3720 kJ (890 cal)

Marokkanisch gewürzter Möhrensalat (oben) und Römischer Salat mit Pinienkernen und warmem Brie-Dressing

Kopfsalat mit asiatisch gebratener Ente und Chili-Dressing

Vorbereitungszeit: 20 Min.
Garzeit: 30 Sek.
Für 4–6 Personen

1/2 TL Chiliflocken
2 1/2 EL Fischsauce
1 EL Limettensaft
2 TL Palmzucker, gerieben
1 auf asiatische Art marinierte und gebratene Ente
1 kleine rote Zwiebel, in dünne Scheiben geschnitten
1 EL in dünne Streifen geschnittener Ingwer
20 g grob gehackter, frischer Ingwer
20 g grob gehackte, frische Minze
80 g geröstete Cashewkerne
90 g Kopfsalatblätter

1 Eine Pfanne erhitzen und die Chiliflocken darin etwa 30 Sek. fettfrei rösten. In einem Mörser oder einer Gewürzmühle fein zermahlen. Chili mit Fischsauce, Limettensaft und Palmzucker in einer Schüssel verrühren und beiseite stellen.

2 Fleisch von der Ente ablösen und in mundgerechte Stücke schneiden. Zusammen mit Zwiebeln, Ingwer, Koriander, Minze und Cashewkernen in eine Schüssel geben. Die Sauce darüber gießen und mit den Zutaten vermischen.

Kopfsalat mit asiatisch gebratener Ente und Chili-Dressing (oben) und Hähnchenbrust in Gewürzkruste mit knusprigen Tortillas

3 Salatblätter auf einer Servierplatte anrichten, den Entensalat darüber geben und servieren.

Nährwert pro Portion (6):
Fett 12 g; Eiweiß 17 g; Kohlenhydrate 5 g; Ballaststoffe 1,5 g; Cholesterin 77,5 mg; 805 kJ (190 cal)

Hähnchenbrust in Gewürzkruste mit knusprigen Tortillas

Vorbereitungszeit: 25 Min. + 20 Min. Kühlen
Garzeit: 15 Min.
Für 4 Personen

4 am Stiel gereifte Tomaten, in 1 cm dicken Scheiben
1 TL Zucker
Salz u. Pfeffer aus der Mühle
1 rote Zwiebel, in dünnen Scheiben
150 ml Olivenöl
1 reife Avocado
60 g saure Sahne
100 ml Milch
2 EL Limettensaft
2 Maistortillas (16 cm Durchmesser)
1 TL getrockneter Oregano
2 1/2 TL gemahlener Kreuzkümmel
1 1/4 TL Knoblauchsalz
1/2 TL Cayennepfeffer
4 kleine Hühnerbrüste (etwa 600 g), ohne Haut
15 g Korianderblätter

1 Tomatenscheiben nebeneinander auf eine große Platte legen, mit dem Zucker bestreuen und mit Salz und Pfeffer würzen. Die Zwiebeln darauf legen, 60 ml Olivenöl darüber träufeln. Für 20 Min. in den Kühlschrank stellen.

2 Avocado, saure Sahne, Milch, Limettensaft und 80 ml Wasser in einer Küchenmaschine glatt pürieren. Mit Salz und Pfeffer abschmecken.

3 Jede Tortilla in 8 etwa 2 cm dicke Streifen schneiden. Oregano, Kreuzkümmel, Knoblauchsalz und Cayennepfeffer vermischen und die Hühnerbrüste in der Gewürzmischung wenden und die Gewürze mit den Fingern fest drücken. 1 1/2 EL Öl in einer großen, unbeschichteten Pfanne stark erhitzen. Die Hühnerbrüste darin bei mittlerer, bis starker Hitze von jeder Seite je 4–5 Min. braten, bis das Fleisch durch ist. Herausnehmen, abkühlen lassen und anschließend in den Kühlschrank stellen. In der gleichen Pfanne 60 ml Öl erhitzen. Die Tortillastreifen darin goldbraun backen. Dabei einmal wenden. Auf Küchenpapier abtropfen lassen.

4 Die Tomaten-Zwiebelscheiben auf 4 Tellern kreisförmig in der Mitte anrichten. Die Hühnerbrüste diagonal in 2 cm dicke Streifen schneiden und auf den Tomaten anrichten. Die Salatsauce über das Fleisch löffeln und jeden Salat mit je 4 Tortillastreifen garnieren. Mit Korianderblättern bestreuen und sofort servieren.

Nährwert pro Portion:
Fett 61 g; Eiweiß 37 g; Kohlenhydrate 13 g; Ballaststoffe 4 g; Cholesterin 126,5 mg; 3095 kJ (740 cal)

Kartoffelsalat mit Dill

Vorbereitungszeit: 15 Min.
Garzeit: 20 Min.
Für 4 Personen

600 g mehlig fest kochende Kartoffeln (z.B. Desirée)
2 Eier
2 EL fein gehackter, frischer Dill
1 1/2 EL fein gehackte Schalotten
Salz u. Pfeffer aus der Mühle
1 Eigelb
2 TL Zitronensaft
1 TL Dijonsenf
100 ml helles Olivenöl

1 Gewaschene, ungeschälte Kartoffeln in einen großen Topf geben und mit Wasser bedecken. Zum Kochen bringen und je nach Größe in etwa 30 Min. weich kochen. Abgießen und etwas abkühlen lassen. Inzwischen die Eier in 10 Min. hart kochen. Unter fließend kaltem Wasser abschrecken, schälen und hacken. Die Kartoffeln ebenfalls schälen und in 2–3 cm große Würfel schneiden. Zusammen mit dem Dill, Eiern und Schalotten in eine große Schüssel geben. Vermischen und mit Salz und Pfeffer würzen.

2 Eigelb, Zitronensaft, Senf und 1 Prise Salz in eine Küchenmaschine geben. Bei mittlerer Geschwindigkeit das Öl zuerst Tropfen für Tropfen, später in einem dünnen Strahl hinein laufen lassen, bis eine feste Mayonnaise entsteht. Kartoffeln und Mayonnaise behutsam miteinander vermischen und den Kartoffelsalat mit Salz und Pfeffer abschmecken.

Nährwert pro Portion:
Fett 26,5 g; Eiweiß 8 g; Kohlenhydrate 20 g; Ballaststoffe 2,5 g; Cholesterin 147,5 mg; 1450 kJ (345 cal)

Brunnenkressesalat mit Orange, Ziegenkäse und Haselnüssen

Vorbereitungszeit: 20 Min.
Garzeit: 10 Min.
Für 4 Personen

20 g Haselnüsse
1 EL Orangensaft
1 EL Zitronensaft
1 Prise Salz
125 ml Olivenöl
250 g Brunnenkresse, gewaschen und trocken getupft
50 g Spinatblätter, gewaschen und trocken getupft
24 Orangenstücke
schwarzer Pfeffer aus der Mühle
1 TL Olivenöl extra
300 g fester Ziegenkäse, in 4 gleich große Portionen geteilt

1 Ofen auf 180 °C (Gas: Stufe 3–4) vorheizen. Haselnüsse auf ein Backblech geben und 5–6 Min. rösten, bis die Schale dunkelbraun wird. Herausnehmen und in einem sauberen Küchentuch abreiben, bis sich die Schalen gelöst haben.

2 Nüsse, Orangensaft, Zitronensaft und 1 Prise Salz in eine Küchenmaschine geben. Bei mittlerer Geschwindigkeit das Öl zuerst Tropfen für Tropfen, später in einem dünnen Strahl hinein laufen lassen. Die Sauce in eine Schüssel umfüllen und beiseite stellen.

3 Die Blätter mit kurzen Stielen von der Brunnenkresse abpflücken und zusammen mit den Spinatblättern, Orangenstücken und 2 EL der Salatsauce in eine große Schüssel geben. Die Zutaten miteinander vermengen und mit schwarzem Pfeffer würzen. Den Salat auf 4 tiefe Teller verteilen und jeden Salat mit 6 Orangenstücken garnieren.

4 Eine kleine, beschichtete Pfanne mit etwas Olivenöl einstreichen und mittelstark, bis stark erhitzen. Die Ziegenkäsescheiben hineingeben, etwas fest drücken und von einer Seite in 1–2 Min. braten, bis sich eine Kruste gebildet hat. Vorsichtig aus der Pfanne heben und mit der Kruste nach oben auf die Salate setzen. Die übrige Salatsauce darüber löffeln und die Salate sofort servieren.

Nährwert pro Portion:
Fett 43 g; Eiweiß 14 g; Kohlenhydrate 10 g; Ballaststoffe 5,5 g; Cholesterin 31 mg; 2005 kJ (480 cal)

Kartoffelsalat mit Dill (oben) und Brunnenkressesalat mit Orange, Ziegenkäse und Haselnüssen

Vietnamesischer Garnelensalat

Vorbereitungszeit: 25 Min. + 30 Min. Kühlen
Garzeit: Keine
Für 6 Personen

1 kleiner Chinakohl, fein gehobelt
60 g Zucker
60 ml Fischsauce
80 ml Limettensaft
1 EL weißer Essig
1 kleine rote Zwiebel, in dünne Scheiben geschnitten
750 g gekochte Riesengarnelen, bis aufs Schwanzende geschält u. ohne Darm
30 g frischer Koriander, gehackt
30 g frische vietnamesische Minze, gehackt
frische vietnamesische Minzeblätter als Garnitur

1 Chinakohl in eine große Schüssel geben und mit Klarsichtfolie zugedeckt 30 Min. kalt stellen.
2 Zucker, Fischsauce, Limettensaft, Essig und 1/2 TL Salz in ein Glas geben und verrühren.
3 Kohl, Zwiebeln, Garnelen, Koriander und Minze mit der Sauce anmachen und den Salat mit Minzeblättern garnieren.

Nährwert pro Portion:
Fett 1,5 g; Eiweiß 31 g; Kohlenhydrate 12 g; Ballaststoffe 1 g; Cholesterin 235 mg; 765 kJ (185 cal)

Vietnamesischer Garnelensalat (oben) und Pasta-Salat mit geräucherter Hähnchenbrust und Senfdressing

Hinweis: Vietnamesische Minze ist in Asia-Shops erhältlich.

Pasta-Salat mit geräucherter Hähnchenbrust und Senfdressing

Vorbereitungszeit: 20 Min. + 30 Min. Durchziehen
Garzeit: 10 Min.
Für 4 Personen

1 EL Balsamessig
150 ml Olivenöl
1 EL Zitronensaft
3 EL grobkörniger Senf
Salz und schwarzer Pfeffer aus der Mühle
200 g Bucatini
450 g geräucherte Hähnchenbrüste
8 kleine Radieschen
2 kleine Cox-Orange-Äpfel
4 Frühlingszwiebeln, in dünne Scheiben geschnitten
35 g junger Rucola, gewaschen und trocken getupft

1 Essig, Olivenöl, Zitronensaft und Senf in ein Schraubglas geben und gut schütteln. Mit Salz und Pfeffer abschmecken. Die Bucatini gemäß den Angaben auf der Verpackung in einem Topf mit kochendem und gesalzenem Wasser bissfest kochen. Abgießen und unter fließend kaltem Wasser abschrecken. Gut abtropfen lassen und mit 1/3 der Salatsauce anmachen. 30 Min. durchziehen lassen.
2 Hähnchenbrüste diagonal in mundgerechte Stücke schneiden und in eine große Schüssel geben. Radieschen in dünne Scheiben schneiden und zusammen mit den Frühlingszwiebeln und dem Rucola zu dem Hähnchenfleisch geben. Ungeschälte Äpfel vierteln, entkernen und zu den Salatzutaten in die Schüssel geben. Den Salat mit der übrigen Salatsauce anmachen.
3 Pasta behutsam unter den Salat mischen, auf 4 große Portionsschalen aufteilen und servieren. Dazu frisches, knuspriges Brot reichen. Als leichte Mahlzeit oder als Vorspeise servieren.

Nährwert pro Portion:
Fett 39,5 g; Eiweiß 39 g; Kohlenhydrate 43 g; Ballaststoffe 4 g; Cholesterin 103,5 mg; 2845 kJ (680 cal)

Hinweis: Bucatini sind dicke, spaghettiähnliche italienische, röhrenartige Nudeln. Sind sie nicht erhältlich, kann man sie auch durch Makkaroni oder Penne ersetzen.

Geräucherte Hähnchenbrust besitzt meist eine dunkle Haut, die unansehnlich sein kann. Man kann sie nach Belieben vor dem Schneiden des Fleisches entfernen. Sie ist in Feinkostgeschäften erhältlich, kann aber auch durch geräucherte Entenbrust ersetzt werden.

Marokkanischer Lammsalat

Vorbereitungszeit: 20 Min. + 1 Std. Marinieren
Garzeit: 10 Min.
Für 4 Personen

150 ml Olivenöl
2 Knoblauchzehen, zerdrückt
1 TL gemahlener Kreuzkümmel
1 TL Harissa (siehe Hinweis)
1 TL gemahlener Koriander
25 g gehackter, frischer Koriander
15 g gehackte, frische Petersilie
1/2 TL gemahlene Kurkuma
4 EL Zitronensaft
600 g Lammrückenfleisch (in 2 Stücken)
250 g griechischer Joghurt
120 ml Orangensaft
1/2 TL gemahlener Zimt
250 g Instant-Couscous
50 g Butter
40 g Korinthen
50 g gehackte Pistazien
350 g Kichererbsen aus der Dose (Abtropfgewicht), abgespült und abgetropft
50 g junger Rucola, gewaschen und trocken getupft

1 125 ml Olivenöl zusammen mit 1 zerstoßenen Knoblauchzehe, 1/2 TL Kreuzkümmel, 1/2 TL Harissa, 1/2 TL gemahlenem Koriander, 3 EL gehacktem, frischem Koriander, 3 EL gehackter Petersilie, Kurkuma und der Hälfte des Zitronensaftes in einer Schüssel, die nicht aus Metall sein sollte, vermischen. Lammfleisch von Fett und Sehnen befreien und in die Schüssel legen. Gleichmäßig mit der Marinade überziehen. Mit Klarsichtfolie zugedeckt für 1 Std. in den Kühlschrank stellen.

2 Übrigen, zerdrückten Knoblauch, Kreuzkümmel, gemahlenen Koriander und Harissa mit dem griechischen Joghurt verrühren und zugedeckt, bis zur weiteren Verwendung kalt stellen.

3 Orangensaft und übrigen Zitronensaft in einen Messbecher gießen und mit Wasser auf 300 ml aufgießen. Die Flüssigkeit in einen Topf gießen, den Zimt hinzufügen und zugedeckt zum Kochen bringen. Vom Herd nehmen und den Couscous unter Rühren hinein rieseln lassen. Zugedeckt 5 Min. stehen lassen, dann die Butter zugeben und den Couscous mit einer Gabel auflockern. Dabei evt. entstandene Klumpen zerdrücken. Korinthen, Pistazien, Kichererbsen und die übrige Petersilie untermischen.

4 Übriges Öl in einer Grillpfanne erhitzen. Das Lammfleisch aus der Marinade nehmen und abtropfen lassen. Das Fleisch in die heiße Pfanne geben und von jeder Seite etwa 2 Min. braten, bis es gut gebräunt und innen noch rosa ist. Aus der Pfanne nehmen, auf einen Teller legen und 5 Min. ruhen lassen. Den Couscous-Salat auf 4 große Teller aufteilen und mit dem Rucola garnieren. Das Lammfleisch gegen die Faser in dünne Scheiben schneiden und auf die Rucolablätter legen. Etwas Joghurtsauce darüber löffeln und die Salate mit dem übrigen, gehackten Koriander garnieren.

Nährwert pro Portion:
Fett 62,5 g; Eiweiß 53 g; Kohlenhydrate 74 g; Ballaststoffe 7 g; Cholesterin 148,5 mg; 4440 kJ (1060 cal)

Hinweis: Harissa ist eine scharfe Chilipaste, die vor allem in der arabischen Küche verwendet wird. Sie ist in gut sortierten und türkischen Feinkostgeschäften erhältlich.

Das Fett und die Sehnen kann man auch vom Metzger entfernen lassen. Wenn man es selbst macht, sollte man dazu unbedingt ein sehr scharfes Messer verwenden.

Variante: Das Lammfleisch durch 600 g frische Schwertfischsteaks ersetzen. Die Steaks 15 Min. marinieren und bei starker Hitze von jeder Seite je nach gewünschtem Gargrad von jeder Seite 3–4 Min. braten.

Marokkanischer Lammsalat

Haloumi-Spargel-Salat mit Salsa verde

Vorbereitungszeit: 15 Min.
Garzeit: 5 Min.
Für 4 Personen

250 g Haloumi-Käse
380 g dünne, grüne Spargelstangen
2 EL Knoblauchöl (siehe Hinweis)
1 1/2 EL frisches Basilikum
2 EL frische Minze
20 g frische Petersilie
2 EL kleine Kapern
1 Knoblauchzehe
2 EL Olivenöl
1 EL Zitronensaft
1 EL Limettensaft
100 g Mesclun-Salat

1 Eine Grillpfanne erhitzen. Haloumi-Käse in 1 cm dicke Scheiben und jede Scheibe diagonal in 2 Dreiecke schneiden. Die Käsedreiecke und Spargelstangen mit dem Knoblauchöl einstreichen. Spargel etwa 1 Min. braten, dann die Käsedreiecke von beiden Seiten braten, bis ein Grillmuster sichtbar wird und die Käsedreiecke erhitzt sind. Aus der Pfanne nehmen und mit dem Spargel warm stellen.

2 Für die *Salsa verde* die Kräuter, Kapern, Knoblauch und Öl in einer Küchenmaschine fein zerkleinern. Zitronen- und Limettensaft in kurzen Schüben untermischen.

Haloumi-Spargel-Salat mit Salsa verde (oben) und Rote-Bete-Süßkartoffel-Salat mit Feta

3 Mesclun-Salat auf 4 Teller verteilen. Käsedreiecke und Spargelstangen darauf anrichten und die Sauce darüber träufeln.

Nährwert pro Portion:
Fett 29 g; Eiweiß 16 g; Kohlenhydrate 4 g; Ballaststoffe 2,5 g; Cholesterin 33 mg; 1415 kJ (340 cal)

Rote-Bete-Süsskartoffel-Salat mit Feta

Vorbereitungszeit: 10 Min.
Garzeit: 1 Std.
Für 4 Personen

350 g frische, junge Rote Bete
350 g Süßkartoffeln, geschält und in 2 cm große Stücke geschnitten
60 ml Knoblauchöl (siehe Hinweis)
Salz u. Pfeffer aus der Mühle
1 Knolle Knoblauch
3 EL Olivenöl
20 g Butter
1 rote Zwiebel, geschält, halbiert und längs in 1 cm dicke Spalten geschnitten
1 EL Balsamessig
1 TL brauner Zucker
2 EL Zitronensaft
1 EL dünn geschnittenes Basilikum
150 g junger Spinat
2 Zweige frischer Rosmarin, die Nadeln abgestreift u. die Stiele entfernt
120 g gereifter Feta

1 Ofen auf 180 °C (Gas: Stufe 3–4) vorheizen. Die Rote Bete in Alufolie einschlagen und auf ein Backblech legen. Süßkartoffeln mit dem Knoblauchöl einstreichen, mit Salz und Pfeffer würzen und zusammen mit dem Knoblauch auf ein weiteres Backblech geben. Rote Bete und Süßkartoffeln 35–40 Min. backen. Mit einem Zahnstocher in das Gemüse stechen und prüfen, ob es gar ist. Herausnehmen und abkühlen lassen.

2 1 EL Olivenöl mit der Butter in einem kleinen Topf erhitzen und die Zwiebeln darin unter häufigem Rühren bei mittlerer Hitze in etwa 5 Min. weich dünsten. Essig und Zucker zugeben und die Flüssigkeit einkochen, bis sie sirupartig dick ist.

3 Gebackene Knoblauchknolle schälen und die Zehen mit Zitronensaft, Basilikum und übrigem Öl in eine Schüssel geben. Mit Salz und Pfeffer abschmecken.

4 Spinat, Rote Bete, Süßkartoffeln, Zwiebeln und Rosmarin in einer Schüssel vermischen. Feta zerkrümeln und darüber streuen. Die Sauce darüber träufeln und den Salat warm servieren.

Nährwert pro Portion:
Fett 37,5 g; Eiweiß 11 g; Kohlenhydrate 23 g; Ballaststoffe 7 g; Cholesterin 32,5 mg; 1945 kJ (465 cal)

Hinweis: Anstelle des Knoblauchöls kann man auch Olivenöl nehmen. Für selbstgemachtes Knoblauchöl ein paar geschälte und längs halbierte Knoblauchzehen 2 Std. in Olivenöl legen. Das Öl durch ein Sieb abgießen.

Register